Selon Vincent

Christian Garcin

Selon Vincent

roman

Stock

L'AUTEUR A BÉNÉFICIÉ DU SOUTIEN
DU CENTRE NATIONAL DU LIVRE

Illustration de bande : © Matt Jamont,
à partir d'une photographie de Benjamin Colombel

ISBN 978-2-234-07544-3

Au-delà du texte écourté, lacunaire, que chacun gribouille comme il peut, dans son coin, la lueur fugace, énorme, de la syntaxe générale.

Pierre Bergounioux

Prologue

15 novembre

Les enfants le regardaient et riaient.

Ils restaient collés à leurs parents à l'autre bout de la cabine, fronçant le nez, faisant de leur mieux pour dissimuler le véritable objet de leur hilarité, laissant croire qu'il ne s'agissait que d'une bonne blague qu'ils venaient de se raconter, ou de quelque amusante considération sur le paysage qui défilait par la vitre sale et sur quoi les parents – grands, silencieux et blonds, sans doute des Européens du Nord –, emmitouflés comme eux de couleurs vives, s'extasiaient muettement.

Il se disait que son odeur les dérangeait peut-être, autant que les amusait son aspect : pantalon de velours fatigué, parka fourrée usée jusqu'à la corde quoique toujours très efficace les jours de grand froid et de vent épouvantable, trois épaisseurs de pulls qu'il avait lui-même tricotés, chaussures de marche aux lacets de ficelle, un chapeau flapi sur lequel il avait coincé une plume de carancho et une autre de cygne noir, longs cheveux gris et blancs qui s'en échappaient, barbe hirsute, rides profondes, regard bleu intense – très loin de l'accoutrement sophistiqué et coloré des enfants et leurs parents, de leur aspect résolument moderne,

11

semblable en cela à celui des cinq autres passagers du ferry, tous identiquement loin de lui dans la longue cabine contenant une vingtaine de sièges inclinables, entassés les uns contre les autres aussi longtemps que le vent dehors soufflerait si fort et froid, hurlant parfois et soulevant gerbes d'écume au milieu de quoi le ferry gémissait, craquait, tanguait mais imperturbablement avançait, entouré de montagnes noires couronnées de cascades et de glaciers majestueux qui venaient mourir dans l'eau grise.

Ils allaient accoster à Puerto Williams, après une trentaine d'heures de navigation depuis Punta Arenas. Les îles, les péninsules, les fjords, les glaciers, les sommets déchiquetés, les eaux violentes, le ciel de bronze, la sauvage et puissante beauté des paysages traversés, tout ce qui autour de lui provoquait commentaires exaltés et déclenchait cliquetis d'obturateurs et multitude de flashes, de tout cela il ne voyait plus rien. Depuis tant d'années, il avait fini par se fondre dans cette immensité, par faire partie d'elle, comme un grumeau dans une sauce. Il fixait doucement les enfants qui riaient dans leurs écharpes en gore-tex. Il ne les voyait pas non plus. Le monde autour de lui se resserrait, tandis que croissait la sensation de s'y écouler peu à peu et s'y dissoudre lentement. Ainsi s'opérait un échange subtil et muet entre deux immensités jusqu'alors inconciliables : celle du monde extérieur dans quoi il avait vécu longtemps, et celle de son intimité la plus profonde, la part de lui-même qui se tenait recroquevillée au fond de lui, secrète comme un murmure, fragile comme une image d'enfant depuis longtemps oubliée.

Première partie

Rosario

6 février

Nous étions debout à l'entrée du jardin, silencieux devant la lourde porte en métal, perdant nos regards dans la perspective qu'ouvrait la ruelle de droite vers le bas du Cerro Concepción et le port balayé de soleil où entrait un porte-conteneurs coréen rouge vif sous une armée de goélands qui ne cessaient de tournoyer et crier dans la chaleur moite de janvier, lorsque la porte enfin s'ouvrit sur le visage inquiet puis stupéfait puis ravi puis baigné de larmes de ma mère que je n'avais pas prévenue du jour exact de mon arrivée.

– *Hijo mío* ! s'exclama-t-elle avant de me tomber dans les bras, m'embrasser sur les deux joues, me regarder dans les yeux en souriant tendrement comme si nous ne nous étions pas vus depuis des années – cela ne faisait que six mois, ma mère avait toujours été excessive en tout – puis s'aviser de la présence de quelqu'un derrière moi.

– Bonjour, monsieur... ? fit-elle en essuyant ses joues.

Paul lui sourit.

– *Buenos días*, Mathilde.

Elle écarquilla les yeux.

– Oh mon dieu, fit ma mère effarée, Polki ! Je ne t'avais pas reconnu !

Et elle tomba dans ses bras aussi.

« Polki », c'était une vieille plaisanterie : la première fois que Paul s'était présenté à ma mère, une trentaine d'années auparavant, il avait classiquement décliné ses prénom et nom : Paul Hu. Elle avait compris Paul Who, avait estimé que c'était un drôle de nom, et lui avait demandé s'il était américain. Non madame, avait très pédagogiquement répondu Paul qui avait l'habitude de la bévue, ma mère est française et mon père chinois, ce n'est donc pas Who, mais Hu : il s'agit d'ailleurs d'un patronyme assez commun en Chine. L'assurance et le sérieux quasi professoral de Paul avaient amusé ma mère, elle avait éclaté de rire, ils avaient ri ensemble, et elle n'avait cessé ensuite de l'appeler Paul Qui, ou Polki.

Nous entrâmes, bras dessus bras dessous. Je notai la boîte aux lettres, sorte de niche métallique vert pomme suffisamment grande pour abriter un couple de teckels adultes. Je lus : *Luis Alejandro Salinas Copas – Mathilde Traunberg-Lacépède*. À celui de mon père, ma mère avait donc accolé son nom de jeune fille. Lors de ma dernière visite ça n'était pas le cas. Je savais qu'elle avait toujours voulu conserver le nom de Traunberg, sous lequel elle était modestement connue en tant qu'aquarelliste. Luis Alejandro et elle s'étaient mariés voici quatre ou cinq ans, et même si l'ajout de noms à rallonge ne facilitait sans doute pas les choses du quotidien, elle s'appelait donc « Mathilde Traunberg Salinas Copas ». La mention de son nom de jeune fille cependant m'intriguait. Lorsque nous vivions à Buenos Aires, mon père, ma mère, mon frère et moi, elle s'appelait simplement

Traunberg : jamais je n'avais vu indiqué nulle part le nom de Lacépède.

Peut-être, me dis-je alors, avait-il soudain réapparu quarante ans plus tard sur cette énorme boîte aux lettres d'une coquette maison de Valparaíso au cas où elle recevrait enfin un courrier concernant son frère disparu. Peut-être ce nom-là était-il pour elle une passerelle mentale destinée à le rejoindre, un signal qu'elle lui adressait par-delà les années. Peut-être aussi le fait de le voir tous les jours écrit sur la boîte aux lettres et, imaginais-je, de le murmurer en secret chaque fois qu'elle passait devant, remplissait-il pour elle l'office des moulins à prières dans les monastères bouddhistes, ou des litanies des apprentis moines : à la fois une répétition de mantras, la persuasion de la force insistante de la pensée, et l'espoir insensé d'une convocation magique – ce qui, du reste, avait plutôt fonctionné, puisque c'est bien pour cela que nous étions là, nous qui avancions à présent à l'autre bout du monde dans ce jardin envahi de plantes luxuriantes et de fleurs multicolores que je ne savais nommer.

Paul

25 janvier

Lorsque Mao Zedong est mort, je l'ai enterré sous un massif de pétunias. Ensuite j'ai vidé l'eau du saladier dans lequel il tournait obstinément depuis quinze ans, et l'ai jeté dans un sac plastique destiné au container du bout de la rue. Un chat qui passait par là me fixa longuement, et je lui adressai un regard dominateur, comme si je craignais d'être pris en flagrant délit de sentimentalisme. Le chat avait du nez : même si c'est ridicule à dire, je crois bien que j'ai eu un pincement au cœur en saisissant le corps flasque et mou de Mao, qui depuis toutes ces années faisait preuve en toutes circonstances d'une remarquable vivacité en dépit de son grand âge. Je n'ai jamais su avec précision quelle était l'espérance de vie de ces animaux, mais à ce que m'en disaient les amis ou connaissances qui chez moi s'extasiaient devant l'espèce de virgule rougeâtre et frétillante que l'effet de loupe du saladier-bocal grossissait parfois démesurément, quinze ans était un âge plutôt avancé, sinon exceptionnel. Mais au bout du compte, cela ne change pas grand-chose, puisqu'il avait comme chacun épuisé le crédit qui lui avait été attribué, et fini sous terre, à l'abri d'un massif de pétunias, peu à peu rongé par les descendants de toutes les vermines qu'il avait lui-même gobées avidement.

Par la même occasion, en un raccourci que je ne pouvais m'empêcher d'établir, c'étaient quinze années de ma vie qui reposaient sous le massif de pétunias, et qui soudain se présentèrent à moi de manière quasi simultanée. Un bilan s'imposait. Je décidai de lui accorder dix minutes, le temps de tasser la terre au-dessus du corps mort de Mao, puis de rentrer, et préparer quelque chose à manger.

Quinze ans, me disais-je, c'est la période qui séparait, presque jour pour jour, les débuts de la Longue Marche de la proclamation de la République populaire de Chine. Ce n'était pas rien. Pour Mao Zedong, beaucoup plus rapidement que pour son homonyme humain, ç'avait été l'apogée, le déclin, l'extinction et, pour finir, le massif de pétunias. Pendant ces quinze années, j'étais quant à moi passé de l'état de quasi-trenta à celui de post-quadra, ce qui n'était pas rien non plus. J'avais vécu dix ans avec Yuyan qui me disait que nous étions parfaitement symétriques et par là même complémentaires (père chinois mère française pour moi, l'inverse pour elle, moi né à Shanghai ayant grandi à Marseille, l'inverse pour elle, prénom français nom chinois pour moi, l'inverse pour elle, moi grand et brun, elle petite et châtain), ce qui ne nous avait pas empêchés de nous séparer, à l'amiable comme on dit, mais comment eût-il pu en être autrement, vu que nous étions l'un et l'autre absolument incapables de gérer le moindre conflit. Elle avait eu la garde de Tchang Kaï-chek, moi celle de Mao Zedong. Comme les poils de chat me faisaient éternuer au printemps, je ne m'en plaignais pas. Nous continuions à nous voir de temps en temps, d'une part parce que nous avions quelques amis communs, mais aussi parce que je lui demandais parfois de m'aider dans mes traductions, la dernière en date étant celle d'un roman de Chen Wanglin, activité qui ne suffisait certes pas à me nourrir, les cours de chinois que je donnais me rapportaient davantage, mais qui me prenait pas mal de temps. Yuyan parlait mieux chinois que moi, je parlais mieux français qu'elle : elle avait raison, nous étions complémentaires.

Les dix minutes s'étant écoulées, je tentai tout de même de dresser un rapide bilan : ci-gisaient quinze années à l'issue desquelles je me retrouvais à quarante ans passés en train de tasser la terre au-dessus de Mao Zedong. Point final.

Outre que ce bilan démontrait de manière implacable à quel point je manquais d'imagination et d'esprit de synthèse, il fallait bien avouer que je ne trouvais, dans l'immédiat, rien d'autre à penser. Et puis, pourquoi le cacher : Yuyan me manquait un peu. Yuyan, « l'hirondelle ». Elle était partie en automne. J'attendais peut-être le printemps.

Je suis rentré, ai appuyé sur la touche « play » du lecteur de CD sans savoir ce qu'il contenait (c'était Monk), et me suis mis à faire revenir des oignons, tomates et poivrons rouges en vue d'y ajouter des morceaux de cabillaud, des anneaux de calamar et quelques moules, le tout avec un peu de vin blanc et de curry. Et un demi-sucre pour atténuer l'acidité de la tomate. Je sifflotais au rythme du piano liquide et dissonant de Monk. Je me disais quatre choses simultanément : 1) que j'avais vraiment bien surmonté la mort de Mao ; 2) qu'après tout ce n'était qu'un poisson rouge ; 3) que, certes, ce n'était qu'un poisson rouge, mais enfin, depuis quinze ans, on s'habitue, faute de s'attacher ; et 4) que je m'apprêtais justement à faire cuire du poisson, y avait-il un rapport ? C'est sur le point d'interrogation de cette importante question que le téléphone sonna.

J'ai rencontré Rosario Traunberg au lycée à la fin des années soixante-dix. Comme moi, il n'était qu'à moitié français. Né à Buenos Aires, arrivé en France à dix ans, reparti en Argentine à vingt, revenu en France à trente et quelques, y est resté. Père argentin, mort il y a une dizaine d'années. Mère française, remariée avec un Chilien qui tient une galerie d'art à Valparaíso, où elle vit à présent. C'est lui, Rosario, qui m'avait fait passer deux manuscrits de Chen Wanglin, un Chinois qu'il avait rencontré en Mongolie. J'avais traduit le premier, *Zuo Luo le renard justicier* ; le second, *Une grotte dans le désert*, était en cours.

– J'ai une histoire à te raconter, m'avait-il dit au téléphone. Je voulais juste m'assurer que tu étais là.

Et dix minutes après, le temps de venir de Castellane à Endoume, il sonnait à la porte.

En vérité, me prévint-il aussitôt entré, il ne s'agissait pas de me raconter une histoire, mais plutôt de me la faire lire, si je n'y voyais pas d'inconvénient. Est-ce que j'avais, disons, trois quarts d'heure devant moi ? Je fis mine de réfléchir. Comme j'avais toujours tendance à chercher des liens de causalité

27

secrète entre les événements, je me demandai quel était le rapport avec la mort de Mao Zedong. Mais je n'en trouvai aucun. Oui, lui dis-je, voyant que cela semblait lui tenir à cœur, j'ai une bonne heure, et même davantage. Tu peux aussi rester dîner, si tu veux, il y a du poisson au curry. Ah tiens, à propos : Mao est mort.

Il eut une petite moue de compassion – toute petite, de la taille d'un poisson rouge. Je m'en contentai. Il avait à la main une grande enveloppe, de laquelle il sortit un tapuscrit d'une quarantaine de pages, qu'il déposa sur la table basse. Je notai les timbres multicolores et le cachet de la poste avec la mention de « Punta Arenas ». Rassemblant mes quelques connaissances géographiques j'optai pour la Terre de Feu – je faisais erreur, mais pas de beaucoup. Je n'avais qu'à lire tout de suite, enchaîna-t-il, il feuilletterait un magazine en attendant que j'aie fini.

Il parlait un peu trop vite. Plus que d'habitude en tout cas. Je le fis asseoir sur le canapé vert, face à moi, et lui servis un whisky d'urgence.

Il me dit qu'il venait de recevoir ce tapuscrit accompagné d'une courte lettre manuscrite – il me la tendit, mais j'attendrais qu'il ait fini de parler pour la lire –, que c'était un récit écrit par son oncle Vincent, je devais m'en souvenir, n'est-ce pas, il m'en avait déjà parlé, Vincent, celui qui avait disparu, une histoire que cet oncle lui avait d'ailleurs déjà plus ou moins racontée, mais à l'oral et beaucoup plus brièvement, juste avant de disparaître, voici vingt ans à Buenos Aires, et qu'il avait de ce fait oubliée en partie, quoique très peu, précisa-t-il, oui, il fallait que je lise ça, le récit de ses derniers jours en France que Vincent avait écrit, avait construit, avait inventé peut-être par moments, comment savoir, avait tapé et lui avait envoyé par la poste accompagné de la courte lettre manuscrite que je tenais entre mes doigts, tu te rends compte, me dit-il après avoir vidé son verre, plus personne n'a de nouvelles de lui depuis vingt ans, c'est le premier signe de vie qu'il donne. Ensuite il me parlerait aussi du coup de fil qu'il avait reçu de sa mère le matin même.

Il semblait essoufflé. Peut-être avait-il couru. Ou alors il était très excité. Oui, c'était plutôt ça. Je me souvenais qu'il m'avait dit un jour qu'il était très proche de cet oncle Vincent qui avait disparu.

Les derniers rayons du soleil pénétraient dans la pièce, soulignant la surface des meubles dont, pour les plus sombres, on pouvait noter qu'ils étaient un peu trop empoussiérés, et éclairant les murs d'une lueur jaune pâle, calme et apaisante – exactement l'inverse de l'attitude de Rosario à cet instant précis.

Je dépliai la lettre et lus :

Ceci n'est pas une fiction. Ou plus exactement, ceci est peut-être une fiction, puisque la réalité ne se vit qu'une fois, et que dès lors qu'on entreprend de la retranscrire par le jeu des souvenirs, on la tord, la déforme, la gauchit, l'enrichit parfois, l'appauvrit souvent : on l'invente. Ceci est donc une fiction, mais c'est la fiction réelle de ce que j'ai vécu voici vingt ans, et que je voulais que tu lises, Rosario. Je ne l'ai jamais raconté à personne d'autre que toi, tu t'en souviens, c'était dans le salon chez ta mère à Buenos Aires, dans la propriété d'Adrogué, juste avant de disparaître. Mes enfants, je ne leur en ai jamais parlé, je n'ai jamais été très proche d'eux, et j'ai fini de culpabiliser à ce sujet : la vie est difficile, imparfaite et

29

cruelle, depuis vingt ans je ne leur ai pas donné signe de vie, et eux non plus n'ont, que je sache, jamais cherché à me joindre. C'est ainsi. Peut-être connaissent-ils quelques éléments de tout cela par ta mère, si tu lui as raconté ce que je t'avais raconté ce jour lointain à Adrogué. Je n'en sais rien. Le passé n'existe pas. Le passé est un tissu troué, un puits rempli de spectres et d'apparitions qu'en écrivant on fait réapparaître. J'ai éprouvé le besoin dernièrement de visiter ce passé par l'intermédiaire des mots, et d'un travail sans doute un peu littéraire, un peu hypocrite donc, mais malgré tout assez fidèle, si la fidélité est possible, au souvenir que j'avais de ces journées. Quand tu liras ceci, Rosario, qui sait où je serai. Je suis un vieil homme à présent. L'arithmétique de l'âge est aussi une fiction, et j'ai sans doute vieilli de plus d'années que je n'en ai vécu depuis que j'ai quitté le monde. Depuis vingt ans je vis seul, sous des cieux immenses, pénétrés de vents inouïs. Je connais les noms de tous les oiseaux, de toutes les baleines qui en été viennent frôler ma barque, de tous les récifs qui gémissent à l'aube comme des enfants abandonnés, de toutes les étoiles qui sont neuves et charnues, de tous les fantômes timides qui errent dans la nuit et réclament leur dû. Ce récit est entrecoupé d'un autre, qui un jour m'a touché. C'est un signe que je t'envoie. Tu sauras le lire. Je t'embrasse. Vincent.

Je reposai la lettre. Rosario me fixait. Il semblait ému. Il avança le bras vers la table basse et fit glisser vers moi le tapuscrit.

Le Non-humain
(histoire de Vincent)

Je ne savais pas pourquoi je restais là sans bouger. Myriam et moi avions chacun une liaison, mais aucun des deux ne se décidait à quitter l'autre. La vie n'était pas si pénible, c'est vrai. Tout fonctionnait à peu près normalement. Nous nous disions bonjour le matin, prenions le petit-déjeuner ensemble, nous téléphonions parfois dans la journée. Puis nous nous retrouvions le soir, à l'occasion voyions nos amis qui ne se doutaient de rien, nous occupions sans heurt du quotidien des tâches domestiques et de l'éducation des enfants. Je n'étais même pas malheureux. Enfin, il ne me semblait pas. Évidemment, il n'y avait plus de sexe entre nous. Mais cela ne me rendait pas trop malheureux, parce qu'il y avait Lorna, qui de ce point de vue-là me satisfaisait pleinement. Et pour Myriam, il y avait Brice. Je suppose que tout allait bien pour elle aussi, même si bien entendu nous n'abordions jamais ce sujet. Pour le reste, la vie n'avait guère changé. Lorna et moi, Brice et ma femme, chacun se débrouillait comme il pouvait, dans les interstices des journées, entre midi et deux ou en début de soirée, parfois des week-ends entiers où vis-à-vis des enfants on prétextait un séminaire professionnel ou une sortie entre amis, sans avoir besoin de se raconter des fariboles l'un à l'autre. Alors, de quoi se plaindre. De quoi se plaindre, vraiment ?

Les enfants, à n'en pas douter, voyaient que quelque chose clochait. Plus exactement, une partie d'eux-mêmes s'en doutait probablement, mais par une espèce de sauvegarde intime, commune à tous les enfants dans de telles situations, ils ignoraient encore qu'ils savaient. Victor avait dix ans à l'époque, et Irène huit. Victor était calme et secret, assez mûr pour son âge. Il allait entrer au collège l'année suivante, et d'un commun accord nous avions décidé que ce ne serait pas dans une de mes classes. Irène était vive et brouillonne, pleine d'humour, plus brillante mais moins tenace que son frère. Elle se décourageait vite si quelque chose lui résistait, alors que Victor ne lâchait jamais le morceau. J'imaginais que plus tard, animée par une ouverture d'esprit et une curiosité aussi superficielles qu'insatiables, elle éparpillerait son énergie dans de multiples centres d'intérêt, tandis que Victor, lui, accomplirait jusqu'à leur terme de longues et opiniâtres études.

Je voyais assez juste à l'époque : je crois que Victor est aujourd'hui médecin, et qu'Irène travaille pour une ONG après avoir exercé dix métiers. Je ne les ai plus vus depuis plus de vingt ans.

Je me dis aujourd'hui qu'ils étaient davantage les enfants de Myriam que les miens. Myriam était d'une famille de grands bourgeois, moi d'ouvriers et de petits commerçants. Mes origines populaires transparaissaient dans le moindre de mes gestes, mes goûts, mes propos, mon maintien, mes habits, dans tout. Myriam, elle, était toujours élégante, tirée à quatre épingles, très mondaine, et elle avait l'accent des quartiers chic. Victor et Irène étaient clairement du côté de Myriam : toujours impeccables, bien mis, raie de côté pour l'un, queue-de-cheval pour l'autre, pratiquant piano (Victor), danse (Irène) et cheval (les deux) – de parfaits enfants de nantis. Parfois cela me gênait, et même si je m'entendais plutôt bien avec eux, car ils étaient de bons enfants, il n'était pas rare que j'aie le sentiment d'être totalement à l'extérieur de leur monde. En tout cas nous étions loin d'avoir la même relation de complicité que celle qu'ils entretenaient avec leur mère.

À cette époque j'enseignais l'histoire au collège, et là aussi je souffrais. La fonction même d'enseignant me déprimait. Je ne croyais plus vraiment à ce que je faisais, à compter que j'y aie jamais cru. Les élèves étaient épuisants, sympathiques, irrémédiablement nuls pour la plupart, plombés par un environnement social et médiatique aussi démobilisant que débilitant, et je les aimais bien. Mais j'en avais pris mon parti : eux et moi n'habitions pas le même monde, ni le même langage, eux n'entendaient pas en changer, et moi non plus. J'étais découragé. L'histoire, la culture savante, la connaissance de ce qui nous a précédés, et même le simple fait de savoir se repérer dans le temps et l'espace ne concernaient plus personne. Au surplus, tout me paraissait de plus en plus joué à l'avance : il me semblait évident que l'école n'était plus un sésame pour sortir de sa condition, mais qu'elle ne faisait que perpétuer un ordre établi. Cette forme de curiosité intellectuelle qui permet à chacun, le cas échéant, de se hisser au-dessus de lui-même, avait disparu. Chacun était fortement satisfait de sa médiocrité, et n'entendait pas remettre en cause quoi que ce soit. Cette résignation tragique me désolait. Sans compter que c'était épuisant. Je pensais démissionner.

Pour ne pas perdre le contact avec une certaine épaisseur du langage et de la réalité, j'écrivais des poèmes.

Mais depuis quelque temps, depuis le début de cette crise dont je parle, je n'arrivais plus à aligner trois mots sur le papier. Dès que je parvenais à m'isoler, avant ou après les cours, je m'asseyais à mon bureau, parcourais rapidement les derniers poèmes que j'avais écrits une éternité auparavant, me munissais d'un stylo et d'une feuille de papier, griffonnais n'importe quoi pour vérifier que le stylo fonctionnait, et j'attendais. Les traits que j'avais formés finissaient par se métamorphoser en spirales, en flèches, en carrés, en formes géométriques ou vaguement humaines, mais jamais ils ne déclenchaient l'amorce d'un vague désir d'écriture, ni n'entraînaient à leur suite un quelconque début de quoi que ce soit de construit, de quoi que ce soit qui nécessiterait des mots pour parvenir à la lumière du sens. J'avais le désir du désir, mais je n'avais plus le désir. Les mots me fuyaient. Les images me fuyaient. La capacité de convertir les images en mots me fuyait. Et même si la poésie n'a pas grand-chose à voir avec les idées, les idées aussi me fuyaient. Tout s'effilochait en moi, je n'accrochais plus une miette de sens à quoi que ce soit. Les mots étaient des insectes muets qui s'enfuyaient à mon approche. Des coquilles vides et friables que je ramassais et rejetais aussitôt.

C'était un dimanche après-midi. Myriam était partie rejoindre Brice quelque part en prétextant une sortie entre amies, les enfants étaient chez des copains, Lorna quant à elle se trouvait accaparée par un week-end familial avec mari et belle-famille. J'étais seul, ce qui en soi ne me dérangeait pas particulièrement – cela ne m'avait jamais dérangé. Et ce jour-là, alors que j'étais debout dans le salon à regarder les nuages passer par-dessus la haie de troènes, je me suis soudain trouvé totalement bloqué. Impossible de bouger. Je restais immobile, à ne rien comprendre à ce qui m'arrivait. Je ressentais à la fois un vide et une lourdeur oppressante au niveau du plexus, ce qui provoquait une tension paralysante que je n'avais jamais éprouvée auparavant. C'était une étrange sensation : comme si un trou béant, d'une profondeur insondable, s'était creusé en moi, et que dans le même temps ce trou se trouvait chargé d'un poids considérable. C'était un vide plein, en somme. Un gouffre d'une densité effrayante. En astrophysique, on appelle cela un trou noir, si dense que la lumière elle-même ne parvient pas à s'échapper. C'était un peu ça. Depuis longtemps, aucune lumière n'émanait plus de moi, je le savais bien. Quoi qu'il en soit, j'étais comme paralysé, debout au milieu du salon, dans l'incapacité de me décider à accomplir tel geste plutôt que tel autre, à adopter telle posture, choisir telle activité plutôt que rien. En même temps je ressentais de soudaines bouffées de chaleur, comme lorsque je buvais trop et m'éveillais suant en pleine nuit. Cela a duré quelques minutes. Ensuite ça s'est dissipé, mais je n'ai rien pu faire d'autre que m'affaler sur le canapé à un mètre de là, comme un sac crevé. Je jurerais que j'ai entendu un bruit de pneu qui se dégonfle lorsque je suis tombé sur le canapé. Et surtout j'avais très faim.

Je me suis levé, suis allé dans la cuisine, ai ouvert frigo et placards, j'ai pioché au hasard : des biscuits, du chocolat, deux bananes, et j'ai terminé un plat de la veille, une sorte de ratatouille, avec une demi-baguette. Je bouffais ça comme un glouton, sans très bien comprendre ce qui m'arrivait. Je me sentais toujours un peu engourdi. Puis j'ai allumé la télé, l'ai éteinte au bout de dix minutes d'inepties, ai pris un livre, l'ai refermé au bout de la troisième lecture de la même phrase, ai allumé la radio, ai entendu pour la énième fois un homme politique dénoncer les profiteurs, les assistés, tous les gens modestes ou démunis qui selon lui profitaient du système, cela m'a énervé, j'ai éteint la radio et senti que mes bras et mes jambes se mettaient peu à peu à m'obéir à nouveau. Alors j'ai attendu quelques secondes et dès que j'ai récupéré mon corps je suis sorti pour tondre la pelouse.

J'avançais derrière la tondeuse. Je me sentais un peu ridicule, pourtant il fallait bien faire quelque chose, bouger d'une manière ou d'une autre. Je l'avais déjà tondue dix jours auparavant, mais l'herbe poussait vite, surtout la mauvaise. Elle proliférait comme un cancer et étouffait les arbustes et les fleurs que Myriam avait plantés. En tout cas, c'est ce qu'elle disait. Moi, il me semblait que ce n'était pas si grave, mais je n'y connaissais rien en fleurs ni en arbustes. Lorsqu'elle me disait cela, je trouvais qu'elle exagérait de parler des mauvaises herbes comme d'un cancer qui envahit et asphyxie tout. Personnellement, ce mot-là me faisait plutôt penser aux zones commerciales autour des petites villes, qui les enserraient, les étouffaient et les vidaient peu à peu – ou

Nous avons commencé cette malheureuse campagne le 24 juin 1812, que nous avons passé le Liemesme, qui a été le malheur de toute l'armée française, quoique ça n'est pas l'armée russe qui nous ai fait le plus souffert. Ce qui a entièrement réduit notre armée au tombeau, c'est la faim, la soif et la grande froidure. Je crois qu'il est impossible de trouver un pays où qu'il y pourrait faire autant de froid. Nous sommes arrivés à Moscow le 14 septembre 1812.

aux mots d'ordre du bon sens économique mondial res-
sassés tous les jours sur toutes les radios et toutes les
télés, dans tous les journaux ou presque, qui enserraient,
étouffaient et vidaient nos cerveaux. Les mots des dicta-
tures financières qui nous dirigeaient. Pour les mauvaises herbes, dont certaines au demeurant sont jolies,
je me disais que c'était exagéré. Mais enfin j'obtempé-
rais, et occasionnellement les arrachais.

Dehors, par-delà la haie qui sépare notre jardin de
celui du voisin, il y avait Mina qui taillait ses rosiers.
J'aimais bien Mina. Son mari était un imbécile, mais elle
je l'aimais bien. Elle était jolie, et séduisante, ce qui ne va
pas toujours de pair. Il me semblait que les regards que
nous échangions parfois n'étaient pas dénués d'un désir
de séduction réciproque, mais je me trompais peut-être.
Il nous arrivait de prendre un café ensemble lorsque
son mari était au travail, Myriam chez Brice, les enfants
à l'école et Lorna elle aussi au travail. Moi, je ne bos-
sais que la moitié de la semaine dans mon collège, le
reste du temps je me disais que je serais un bon poète si
j'écrivais des poèmes, mais je n'écrivais pas grand-chose,
et j'avais souvent le sentiment que, sur ce plan comme
sur beaucoup d'autres, ma vie, globalement, partait à
vau-l'eau.

*Nous avons commencé notre retraite le 18 octobre 1812 où nous
avons quitté Moscow qui a été le commencement de notre grande
misère. Cinq jours de notre retraite se sont écoulés encore à faire
doucement.*

*Mais le dixième, les vivres ont commencé à nous manquer. L'armée
russe, à sa retraite sur Moscow, avait déjà brûlé les villes, bourgs et
villages le moins à 9, 10 lieues chaque côté de la route, de manière
que nous soyons sans vivres n'y sans espérance d'en avoir pour les
hommes n'y pour les chevaux.*

– Salut Mina, ai-je souri, ça va, les rosiers ?

C'était une question stupide, mais souvent on dit ce qu'on peut.

Elle m'a souri aussi et dit :

– Bonjour Vincent. Ils sont beaux, hein ?

J'ai approuvé de la tête.

– Très.

– Tout à l'heure, a enchaîné Mina, il y avait un gros serpent niché derrière une pierre, juste là, à deux pas des rosiers. Bob l'a coupé en deux du tranchant de la pelle.

J'ai eu un frisson. Moins en pensant au serpent, je crois, qu'en pensant à ce gros balourd qui avait coupé un animal en deux d'un geste sec, en étant persuadé de se trouver du côté du bien.

– Quel genre de serpent ? ai-je demandé.

– Oh, je n'en sais rien. Tu sais, moi, les serpents.

J'ai hoché la tête.

– Pas un venimeux en tout cas, a dit Mina. Il n'y en a pas par ici, n'est-ce pas ?

– Non, pas que je sache.

Elle a souri, comme rassurée.

– Mais alors, ai-je continué, pourquoi ton mari l'a-t-il tué, au juste ?

Elle m'a regardé comme si je tombais de la lune.

Les routes étaient interceptées de tous côtés par les Kosaques et l'armée russe. Nous étions toujours enveloppés de Kosaques. Lorsque nous nous trouvions en arrière ou écartés de la colonne, nous étions égorgés par les brigands de Kosaques.
Les mauvais temps sans cesse, jour et nuit nous accablaient. La grande froid commençait successivement, accompagnée de grandes tempêtes et de foudres, la pluie, la grêle, la neige et la gelée, sans aucun abri ni couvert, que les nuages pour couverture.

– Ben, c'était un serpent… Un *ser-pent*, quoi !

J'ai cru à nouveau que la paralysie me gagnait, mais non, j'ai pu bouger les doigts, un bras, et fait mine de me gratter derrière le genou pour vérifier que je parvenais à me pencher.

– Je vois, ai-je dit. Tu veux venir prendre un café ?

En jeans et chemise cintrés, avec ses cheveux blonds tirés en arrière, Mina était plutôt appétissante. Elle avait un petit air mutin et obstiné, vaguement enfantin, un sourire délicieux, une silhouette menue, mais avec des formes très avantageuses. Elle était assez sexy, en fait. Par-delà la haie, je remarquai à quel point sa peau était dorée, et j'eus soudain envie d'y mordre à pleines dents. Jamais nous n'avions couché ensemble, l'idée ne l'avait peut-être même jamais effleurée, moi si, une ou deux fois, mais rien ne s'était passé, ni même n'avait commencé à prendre une tournure qui aurait pu laisser penser que quelque chose fût possible entre nous.

Elle lança un regard vers chez elle, et tordit la bouche d'un air dépité.

– Bob… dit-elle.

Là je compris que j'avais toutes mes chances. Mais ce serait pour une prochaine fois. Peut-être.

Mourir de faim et de soif, n'avoir pour aliment que du cheval qui était crevé encore bien peu, bien souvent que nous le mangions sans le faire cuire, mais cuit ou non cuit, nous le mangions la même chose (la faim fait tout faire) pour ne pas mourir de faim parce que la faim est une grande chose. Les routes étaient remplies des débris de notre armée, des hommes morts et des chevaux, des pièces de canon restées des parcs.

Tout enterrés, les caissons, les affûts, les chariots et les carrosses, ça faisait trembler.

– Une prochaine fois, peut-être, lui ai-je dit en souriant à nouveau.

Je me trouvais particulièrement souriant avec Mina. Peut-être davantage encore qu'avec Lorna.

Elle me sourit aussi d'un air accablé, et se remit à tailler ses rosiers. Moi je continuai à pousser ma tondeuse. Une vieille tondeuse mécanique, avec un système de lames tournoyantes qui coupent l'herbe au fur et à mesure qu'on avance, sans fil ni électricité, ni moteur à essence. Les enfants se moquaient de moi lorsque je m'en servais. Ils l'appelaient « la tondeuse-diplodocus », et ils se marraient. Je riais avec eux, et leur expliquais que c'est déjà assez idiot de tondre une pelouse au lieu de laisser pousser l'herbe comme elle l'entend, si en plus il fallait un engin à moteur ou avec un fil, ça devenait franchement ridicule.

Ils ne comprenaient pas, peut-être d'ailleurs n'y avait-il rien à comprendre, mais le plus souvent ils voulaient que je la leur prête, pour tondre eux-mêmes. Et en général, je ne me faisais pas prier.

Mais là, il n'y avait personne, je devais bien tondre moi-même. Histoire de bouger un peu, d'éviter la paralysie. Que m'était-il donc arrivé ?

Nous sommes arrivés à Smolensk le 12 novembre 1812. Nous y sommes restés deux jours et demi, donc que nous avons reçu assez de vivres pour ne pas mourir de faim, et pas assez pour vivre. Les vivres que nous avons reçus, c'était de la mauvaise farine pourrie, dont qu'il fallait des pioches pour la tirer des tonneaux. Elle sentait très mauvais, encore nous n'avions pas le temps d'en faire du pain. Il nous en fallait faire de la bouillie sans sel ni graisse. Encore elle nous semblait bien bonne : nous étions sous les remparts de la ville à nous battre à chaque instant avec les Kosaques.

Je tondis pendant une demi-heure, comme d'habitude, en prenant soin de cibler les mauvaises herbes. Au-delà, c'était trop pour moi. Je ne vis aucun petit animal. Pas même un lombric ou un hanneton. Pas même un demi-serpent. Mina était rentrée chez elle. Sans doute regardait-elle la télé avec son mari. Il n'y avait aucun bruit dans la rue. La demi-heure écoulée, je rangeai la tondeuse dans son réduit, retournai dans la maison, et m'affalai à nouveau sur le canapé, en position allongée cette fois. J'étais épuisé, je ne comprenais pas pourquoi. La paralysie de tout à l'heure peut-être. Je m'endormis au bout de deux minutes environ, comme assommé.

Je ne rêvai pas que j'étais un serpent. Mais je rêvai tout de même de serpent. Et surtout, je rêvai que j'étais moi-même un animal : un renard – je crois, je ne suis pas sûr. Quelque chose de roux et de petit en tout cas. Caché derrière un bosquet, j'observais mon propre jardin, et je voyais le gros Bob armé d'une paire de ciseaux se diriger vers un serpent endormi sous un bouquet de fleurs mauves. Je tremblais de toute ma fourrure, je sentais mon poil parcouru de frémissements continus et silencieux, comme une houle d'herbes sous la brise. J'avais peur pour le serpent. Je me disais qu'il fallait absolument qu'il bouge, qu'il se déplace, qu'il voie les choses autrement, sous un autre angle, qu'il fasse un pas de côté – même s'il est assez peu judicieux

---

Nous avons évacué la ville dans la nuit du 14 au 15 novembre 1812. Comme nous étions le régiment d'arrière-garde, nous avons brûlé le pont et fait sauter les remparts, brûlé le peu de maisons qu'elles étaient restées dans la ville de la première fois ainsi que les hôpitaux et plus de 20 000 blessés et malades qui étaient dedans qu'ils ont tous brûlé.

de suggérer à un serpent de « faire un pas ». J'étais terrorisé. Derrière les fenêtres de mon salon, je voyais Mina entièrement nue qui me fixait, elle m'avait repéré, son regard était tendu de désir, elle ne se préoccupait ni de son mari ni du serpent, oscillait de manière langoureuse et suggestive en se caressant les seins. J'étais mal à l'aise, cela ne lui ressemblait pas d'être si provocante.

Et Bob qui avançait sur le serpent endormi, les ciseaux à la main. J'avais envie de crier, ou de courir pour distraire Bob et sauver le serpent. Soudain je sentis derrière moi une présence chaude et discrète qui me dit, ou plutôt qui me fit comprendre, que je devais trouver mon visage d'avant. Je ne comprenais pas ce que cela voulait dire. Je me retournai et vis un animal étrange, petit et roux comme moi, peut-être un renard lui aussi. Je m'éveillai en sursaut, un peu effrayé. J'avais dormi moins de dix minutes.

Le soir, Myriam est rentrée après être allée chercher les enfants chez leurs amis. Nous avons passé une assez bonne soirée. Nous avons regardé un film côte à côte sur le canapé, un film dont je n'ai gardé nul souvenir sinon qu'il se déroulait pour l'essentiel pendant la nuit, et qu'il y avait une bande-son intrigante, faite

Où j'ai eu le malheur d'être fait prisonnier de guerre le 18 novembre 1812 par les barbares de Russes. J'ai été traité ainsi que mes camarades plus cruellement que des criminels.

Lorsque j'ai été pris, j'étais blessé ; j'avais l'épaule droite démise et un coup de baïonnette dans la cuisse droite. Après avoir été pris, les Kosaques m'ont traité comme des barbares et des lâches qu'ils sont. Après avoir été leur esclave et soumis à eux, ils m'ont fait présent de sept coups de lance, même que j'eus beaucoup de peine à m'en rétablir.

45

de frottements, de bruissements et de gémissements étouffés. Ensuite nous nous sommes couchés, et j'ai sombré aussitôt dans un sommeil lourd et profond – sans rêves cette fois.

Heureusement que j'ai été traité par un chirurgien français qui était prisonnier de guerre comme moi. Mais il n'y avait point de médicament ni charpie pour panser les malheureux blessés. Mais comme j'avais une vieille chemise que je portais depuis longtemps, à cet instant elle m'a bien servi parce que j'en ai fait de la charpie et j'ai pansé moi-même mes blessures.

Le lendemain, j'avais cours le matin, deux heures avec les troisièmes. Nous étions en pleine campagne de Russie. Depuis quelque temps je leur faisais lire des passages de carnets inédits, qu'un ami, éminent spécialiste de Napoléon, m'avait fait parvenir : il s'agissait d'une quinzaine de feuillets trouvés dans la doublure de la veste d'un soldat mort à Waterloo, Louis Folcher, et jamais dévoilés depuis. Son nom me disait quelque chose, mais je n'arrivais pas à me rappeler quoi. Peut-être était-ce celui d'un personnage d'un roman que j'avais lu un jour, pensais-je : il arrive que certains personnages fictifs percent le mur de la fiction et vivent aussi bien dans leur réalité que dans la nôtre. Dans ces feuillets retrouvés sur son cadavre, Folcher racontait par le menu les souffrances terribles endurées trois ans plus tôt juste avant le franchissement de la Berezina, auquel il n'avait d'ailleurs

J'ai été blessé le 18 à 3 heures de l'après-midi. Je n'ai été relevé du champ de bataille que le 19 à 4 heures du soir.
J'ai resté 25 heures sur le champ de bataille, dans la neige, mais je n'ai pas eu de peine à passer la nuit, même jusqu'au moment qu'ils m'ont relevé parce que j'étais sans connaissance.

pas participé, ayant été fait prisonnier par les Russes huit jours avant, lors de la bataille de Krasnoï, ou Krasenau.

Pour une fois, les élèves semblaient assez intéressés, sans doute parce qu'il s'agissait d'un document, personnel et poignant, retrouvé sur le corps d'un mort, et non d'une reconstitution après coup. Et aussi parce que je leur avais présenté la chose comme une authentique faveur qui leur était faite, un véritable événement : ces carnets n'avaient été lus par quasiment personne, ils étaient encore inexploités. Un homme avait écrit cela voici presque deux siècles, ensuite il était mort, et ils étaient parmi les premiers à lire son histoire. J'avoue que j'éprouvais moi-même cette excitation de la découverte, de l'inédit. Je leur livrais parfois le texte tel quel, avec orthographe, ponctuation et syntaxe originales, et les répétitions, les tournures parfois incorrectes, associées à l'orthographe relativement maîtrisée et au maniement de l'imparfait du subjonctif, par exemple, les surprenaient passablement. La crudité et l'intense émotion de certains passages aussi. Parallèlement mon collègue de français leur faisait étudier *Le Colonel Chabert* de Balzac, et nous parlions du récit terrible de l'enfouissement de Chabert au milieu des cadavres sur le champ de bataille enneigé d'Eylau, de son sauvetage par un couple de paysans, de son amnésie, de sa longue errance ensuite en

---

Lorsqu'ils nous ont relevés de sur le champ de bataille, les gueux de paysans nous chargeaient sur des traîneaux comme des tas de bois. Ils en ont étouffés la moitié pour nous conduire à une lieue et demie de l'endroit nommé Krasenau. Donc ils nous ont mis tous les blessés dans des magasins à sel. Nous y avons resté 8 jours consécutifs dans ce maudit endroit. Ils nous donnaient pour tout aliment que 8 onces de mauvais pain biscuité par jour.

Allemagne, qui se trouvaient comme rehaussés par la lecture des carnets de Folcher.

Comme si la fiction avait besoin de la réalité pour revêtir un quelconque intérêt – « ça s'est vraiment passé ? », « c'est une histoire vraie ? », demandaient-ils souvent, et je leur disais oui oui mes petits, le personnage de Folcher est authentique, mais rien ne dit que la fiction de Chabert ne le soit pas non plus, car voyez-vous il y en a forcément eu, des Chabert, et leur réalité était peut-être plus terrible encore que la plus terrible des fictions, c'est d'ailleurs ce que dira Balzac lui-même par l'intermédiaire de son personnage Derville à la fin du roman, vous verrez, il dit que les horreurs que recèle le monde réel seront toujours supérieures à l'imagination, si sordide et galopante soit-elle, des romanciers. Ils approuvaient par réflexe, mais ne le croyaient pas vraiment. Pour eux la fiction dépassait forcément la réalité en machiavélisme et en horreur. Ils étaient jeunes. Ils ne savaient pas encore.

Lorna aussi avait cours le lendemain matin. Elle enseignait le russe au lycée, à mi-temps. L'après-midi, nous nous sommes retrouvés dans le petit hôtel près de la gare.

Nous avons fait l'amour délicieusement, encore plus que d'habitude si c'était possible. Côté baise, nous nous entendions parfaitement. Sur d'autres plans aussi,

---

Nous mourrions de faim et de soif. Nous étions obligés de boire de notre urine. Les scélérats qui nous gardaient, comme il y avait beaucoup de bestiaux de crevé dans la ville, des chevaux, des bœufs, des vaches, des moutons et des chiens, ils allaient prendre de ces charognes, qu'il y en avait qui étaient toutes pourries, ils nous la vendaient 2 et 3 francs la livre.

49

d'ailleurs. Ensuite je lui ai raconté ma paralysie et mon rêve de la veille. Elle m'a écouté avec attention, elle semblait très intéressée, puis elle m'a dit que je devrais aller voir un spécialiste. Un spécialiste de quoi, lui ai-je demandé, et elle a répondu que là d'où elle venait, lorsqu'on se rêvait soi-même sous la forme d'un animal et que dans le même temps des symptômes physiques inhabituels se manifestaient, on allait voir un spécialiste des rêves et des possessions magiques, autrement dit un chaman.

– Un chaman, ai-je répété. N'importe quoi, ai-je poursuivi, mais in petto, car elle n'aurait pas apprécié – Lorna était assez susceptible.

– Évidemment, a-t-elle continué, il n'y en a pas par ici, vu que vous êtes des barbares. Disons un guérisseur, alors.

J'ai ri. Mais pas trop, car je savais qu'elle ne plaisantait pas. Lorna était russe, de mère bouriate (d'où ses traits asiates) et de père mi-bouriate mi-slave (d'où ses cheveux blonds et ses yeux clairs, l'ensemble formant un mélange plutôt ravissant).

Ses deux grands-mères étaient des chamanes assez réputées, m'avait-elle souvent dit. L'une vivait à Oulan-Oude, à l'est du lac Baïkal, l'autre à Irkoutsk, à l'ouest. Elle me disait qu'elle attachait une grande valeur aux manières de voir le monde qu'on lui avait inculquées lorsqu'elle était enfant. La séparation entre les hommes

> *Nous avons été pris le 18 novembre 1812, 15 000 hommes. Dans l'espace de deux mois et six jours, nous sommes restés à 500 hommes. De 15 000, ils en ont tué et fait mourir 14 500.*
>
> *Pour augmenter encore notre grande misère, ils nous ont fait partir de Krasenau pour nous conduire plus avant dans leur maudit pays pour nous faire massacrer par leur barbare de peuple qui est aussi téméraire que des ours.*

et les bêtes, par exemple, était selon elle une aberration judéo-chrétienne. Le monde sauvage est en nous, disait-elle, comme nous sommes en lui. Nous devons nous frayer un chemin dans notre forêt intérieure pour le rejoindre. Dans les régions d'où je viens, m'avait-elle dit un jour, certaines personnes deviennent des ours, d'autres des renards, d'autres des oiseaux.

– Bien sûr, avais-je rétorqué.

– Tu crois que je plaisante ? Pas du tout. Tu as déjà dû voir ces photos d'Indiens d'Amérique prises par Curtis au XIXe siècle. Certains sont revêtus de peaux d'ours, ils ne font qu'un avec elle, et pendant ces cérémonies ils sont eux-mêmes des ours, ou des humains habités par l'esprit de l'ours. À moins qu'ils soient des ours en devenir d'humains. C'était pareil en Sibérie, en Patagonie, en Amazonie, dans toutes ces civilisations dites primitives.

– Oui. Les animaux-totems, quoi.

– Si tu veux, avait-elle dit, même si ce n'est pas tout à fait la même chose. Mais cela va au-delà du simple fait de pouvoir les nommer. Cela relève d'une autre logique, une logique non humaine, qui fait qu'on devient une partie du monde qui nous entoure. Le moi se dilue dans quelque chose de plus vaste que lui.

À tout ce que me disait Lorna, j'approuvais muettement. Dans le même temps, je me disais que, pour quelqu'un qui recommandait d'oublier le moi, elle était

---

Les enfants de 7, 8, 9, 10, 11 et 12 ans nous traitaient ainsi : ils nous battaient, nous crachaient aux yeux et nous faisaient mille horreurs. Il fallait encore rien dire. Si nous avions eu un air mécontent, les pères et mères nous auraient écrasés de coups. Un paysan seul nous battait quoique nous étions beaucoup de monde. Personne n'osait se défendre ni rien dire.

extrêmement consciente de son individualité et de ses désirs. Même si je sais bien que les choses sont plus compliquées que cela.

– Je ne plaisante pas, m'a dit Lorna. Trouve un sorcier, un guérisseur, un chaman, je ne sais pas. Un vrai, pas un zozo. Chez nous on les trouve aussi facilement que des médecins, certains vivent en ville, dans des appartements. Ma grand-mère, à Oulan-Oude, elle vivait dans une sorte de HLM au centre-ville. Et mon cousin exerce dans sa cuisine, sur un chantier de fouilles, n'importe où.

– Ton cousin ? Quel cousin ?

Elle me regarda, incrédule. Se lova tout contre moi, et fit glisser sa main le long de mon ventre.

– « Quel cousin ? » mima-t-elle avec une délicieuse grimace. Je n'en ai qu'un, andouille, il s'appelle Pavel Lewidovski, et je t'ai montré sa photo et celle de sa femme la semaine dernière. Ils ont eu un bébé, tu ne te souviens pas ? Irina, une petite fille avec des yeux immenses et délavés, et des tas de cheveux très blonds, presque blancs. Ils vivent à Irkoutsk et sont tous deux paléoanthropologues, mais il est aussi à l'occasion guérisseur – ou chaman, comme tu veux. Enfin, continua-t-elle, tu as oublié, ce n'est pas grave. Mais trouve quelqu'un. Il doit bien y avoir des guérisseurs quelque part à la campagne, à la montagne. L'un d'eux saura te dire ce qui se passe en toi.

Ils ont commencé à nous mettre un peu à l'abri dans des mauvaises chaumières remplies de boue et d'ordures, sans paille, sans feu, sans lumière et sans vivres. Dans des endroits où qu'il y pouvait coucher 20 hommes, ils nous y mettaient 60, 70, 80.
Tous les matins, il y en avait toujours 20, 25, et 30 de morts.

Elle semblait très sûre d'elle. Je l'étais moins. Je fermai les yeux. J'étais envoûté par son souffle sur ma bouche, par l'odeur de sa peau, par ses cheveux qui baignaient mon visage, par la douceur de sa main qui me caressait lentement. Je lui appartenais.

Aussitôt que nous étions dehors, les gens habitants venaient avec des cordes pour sortir les morts et les malades qui ne pouvaient plus marcher. Ils leur mettaient la corde aux pieds, ensuite ils les tiraient dehors. Ensuite ils les couchaient dehors, pour les réchauffer, ils y mettaient le feu !

Plus tard dans l'après-midi, j'étais à la maison, Myriam n'était pas encore rentrée, les enfants étaient dans leurs chambres, et j'ai à nouveau senti cette étrange tension : un creux d'un poids considérable en haut de l'estomac, au niveau du plexus, associé à une sorte de paralysie. Par rapport à la fois précédente, il y avait quelque chose de neuf : j'ai eu à deux ou trois reprises le corps entièrement parcouru de frissons. Mais ce n'était pas de froid : au contraire j'avais très chaud, comme une soudaine poussée de fièvre. J'étais au même endroit que la veille ou presque, immobile au milieu du salon, sans pouvoir bouger. Je voulais remuer au moins les lèvres, dire un mot, proférer un son, un grognement, n'importe quoi,

---

Voilà de la manière qu'ils s'en débarrassaient. En route, ceux qu'ils ne pouvaient plus suivre, les barbares qu'ils nous conduisaient les assassinaient dans la neige. C'étaient des brigands que nous avions pour conducteurs ! Ils étaient comme des ahuris sauvages.

Pour augmenter notre grande misère, tous les jours ils venaient dans nos logements nous piller les uns après les autres ceux qui avaient encore quelques bons effets, s'ils ne jouaient pas d'une ruse quelconque, soit de déchoir les effets ou de mettre des mauvaises pièces.

quelque chose qui pourrait attirer les enfants, je me disais que si quelqu'un entrait dans la pièce la paralysie et les frissons disparaîtraient peut-être, mais j'en étais incapable. Seuls mes yeux étaient mobiles. Des larmes jaillirent soudain. Cela aussi, c'était nouveau. Je ne pleurais pas à proprement parler, mais les larmes coulaient. Au bout de quelques minutes, c'est passé. Je me suis assis.

Les enfants sont arrivés dans la pièce, sont allés à la cuisine se préparer un goûter, sont repartis. Ils ne s'étaient aperçus de rien. Comme la veille j'avais une faim d'ogre. Je me suis préparé un énorme sandwich que j'ai engouffré avec avidité.

Peu après, je me souviens, le téléphone a sonné. C'était ma sœur Mathilde qui m'appelait de Buenos Aires. Elle s'y était rendue au début des années soixante, y avait rencontré son mari, Isidorio Traunberg, un spécialiste de littérature anglaise et allemande, et y était restée. Deux fils leur étaient nés, Georges et Rosario. En 1973, au retour de Perón et aux débuts de ce qu'on a appelé « la guerre sale », la famille s'était exilée en France. Ils y avaient vécu une dizaine d'années, puis étaient retournés en Argentine, peu après l'élection d'Alfonsín. Ils n'étaient pas revenus depuis. Cela faisait donc sept ans que nous ne nous étions plus vus. Georges et Rosario devaient être

Sans ceci, ils les mettaient tous nus dans la neige et prenaient l'argent autant qu'ils en trouvaient. À ceux qu'ils ne trouvaient rien, ils les écrasaient de coups.
À grands coups de bâtons et à grands coups de poing dans la figure et marchaient dessus à grands coups de pied. Les coquins d'habitants après nous avoir pillés, pris tout ce que nous avions, n'étaient pas assez charitables pour nous donner de leurs plus mauvais chiffons pour nous cacher la nature et nous envelopper les pieds.

adultes à présent. Un rapide calcul m'indiqua qu'ils avaient tous les deux entre vingt et vingt-huit ans. Justement, me disait Mathilde, ses deux fils s'apprêtaient à revenir en France pour y terminer leurs études : Georges suivait les traces de son père et préparait une thèse sur le poète Norwich Restinghale, Rosario quant à lui désirait trouver un travail dans la presse.

Peut-être aussi revenaient-ils parce qu'ils avaient vécu toute leur adolescence en France, qu'ils étaient bien entendu parfaitement bilingues, et qu'ils s'y sentaient chez eux. Ils arriveraient probablement d'ici un mois, peut-être Myriam et moi pouvions-nous les héberger un temps chez nous. J'ai dit oui, évidemment. J'étais sincère : j'ignorais encore qu'à ce moment-là je ne serais plus là, et que je les reverrais avant, chez eux à Buenos Aires.

Par association d'idées je me suis dit que la dernière fois que je les avais vus, sept ans auparavant, était aussi la dernière fois, jour pour jour, que j'avais vu mon ami Louis.

Ce jour-là j'avais accompagné Mathilde, Isidorio et leurs enfants à l'aéroport en début d'après-midi, et Louis avait débarqué à la maison vers 18 heures, sans prévenir.

Les 3/4 de nous étaient gelés. Depuis les plus petits jusqu'aux plus grands jouissaient de nous voir si malheureux. Plus ils en voyaient de morts, plus ils étaient contents.

Moi, j'étais couvert de mauvais haillons que je prenais de mes camarades qu'ils étaient morts. Pour qu'ils ne me missent pas nus, comme mes camarades que je voyais déshabillés à chaque instant, mes habillements, ceux qui n'avaient pas beaucoup de trous, j'en faisais. Ensuite, je les raccommodais avec de mauvaises pièces de différentes couleurs ainsi que gros fil, de manière qu'ils n'en pouvaient rien faire. Et à moi, ils m'étaient bien utiles pour me garantir de la grande fraîcheur.

– Je n'en peux plus, m'avait-il dit en s'asseyant sur le canapé, où ni lui ni moi ne pouvions savoir qu'il faisait ainsi face à mon fantôme de sept ans plus tard, paralysé et quelque peu affolé. Je n'en peux plus, Vincent. Je crois que je vais tout quitter.

Quelques années plus tôt il était allé vivre à la campagne avec sa femme Élise, à Digne, près des montagnes. Après qu'elle avait accouché d'un bébé mort-né, Élise avait peu à peu sombré dans une profonde dépression. On l'avait placée en maison de repos. Là on avait décelé un cancer foudroyant du pancréas. Trois mois plus tard elle était morte. Louis était représentant en produits alimentaires. Son boulot l'assommait. Sa vie l'assommait. Il était veuf, sans enfants, sans parents. Il ne voyait plus pour quelles raisons continuer à jouer la comédie.

– Je vais partir, avait-il dit.

– Où ça ?

– Je ne sais pas précisément. Dans les montagnes. Il y a des types qui filent dans des monastères tibétains pour se ressourcer, comme ils disent. Moi j'ai les montagnes tout autour. Il n'y a pas de monastère, mais je me fous des monastères.

Il avait souri.

Je n'ai eu que les oreilles, le nez, les lèvres, les mains et les pieds qu'ils ont gelés. C'est ainsi sans doute que j'ai toujours parvenu à conserver par-devers moi une médaille en cuivre de l'Empereur, avec au dos une statue de femme nue. J'ai été habile à la dissimuler. Celle-là, jamais ils ne me l'ont prise, et je l'ai encore ce jour que j'écris ces lignes.
En route, il me pendait des glaçons aux yeux gros comme les doigts. Des larmes qui me coulaient des yeux, elles étaient à peine sorties de mes yeux qu'elles étaient gelées. Lorsque nous avons été arrivés à notre destinée, l'ont nous a mis dans un village à 3/4 de lieues de la ville.

– Je créerai peut-être le mien, pour moi seul. Je sais chasser, poser des pièges, pêcher. Je sais être invisible s'il le faut. Je ne mourrai pas de faim, ni de froid. Et puis si ça arrive, c'est que cela devait arriver.

Il avait terminé sa bière au goulot.

– Je vais quitter le monde, Vincent. Je suis venu te dire adieu.

Et c'est ce qu'il avait fait. Il était parti seul dans les montagnes, avait trouvé une cabane, avait vécu en ermite, du moins je l'imaginais, en tout cas je ne l'avais jamais revu. Mon vieil ami Louis.

Bientôt ce serait moi qui partirais. Mais ce jour-là, au moment où je pensais à lui assis face à moi sept ans plus tôt, je ne le savais pas encore.

Le soir Myriam et moi n'avons rien fait de particulier, comme d'habitude. La soirée fut plutôt morne. Nous avons regardé les informations à la télé, et je me suis dit une fois encore que le monde devenait sec. C'était parfaitement déprimant. Depuis quelques années le politique et le souci du lien social semblaient peu à peu disparaître au profit de considérations purement économiques, entrepreneuriales et boursières. Le tout-économique s'installait comme nouvelle religion, avec son clergé, ses fidèles, ses saints et ses martyrs. On nous distillait au compte-goutte des notions,

---

Ils nous ont mis 30 et 35 par logement dans de mauvaises chaumières qu'il n'y avait de la place que pour la moitié. De ce que nous étions sans paille, sans feu, sans vivre et sans argent, les habitants avaient évacué leurs maisons. L'on nous y a laissé 40 jours et 21 jours des 40 que l'on nous a rien donné, ni pain, ni viande et point d'argent.

Dans l'espace des 40 jours, il en est mort passé la moitié. Sur les derniers jours, nous étions pas trop gênés dans les logements…

---

des logiques, des mots, des syntaxes, des réseaux, des points de vue résolument orientés en ce sens, qui prenaient insensiblement possession de notre esprit, de nos vies. Cela avait commencé à la radio, avec la création de la première chaîne d'infos en continu et les cours de la Bourse annoncés tous les quarts d'heure. La télé avait suivi. On nous avait rendu familiers le CAC 40, le Dow Jones et l'indice Nikkei. On nous avait habitués à suivre le cours des actions. On avait privatisé des chaînes de télé, des banques, des grandes entreprises, le cours des actions s'envolait, les actionnaires imaginaient appartenir à une élite, et cela passait pour un progrès. Le business, la rentabilité, faire du fric, il n'était plus question que de ça. Le monde se noyait dans un océan de merde froide, et nous étions quelques-uns à étouffer.

Après les infos, les enfants ont regardé un film à la télé. Moi j'ai lu un petit livre sur le chamanisme. Myriam feuilletait un magazine.

Ce n'est pas vraiment que la soirée était morne : on peut très bien ne rien faire de particulier sans que cela soit morne. Dans un autre contexte ç'aurait été une soirée agréable et paisible, en famille.

Tous les jours les paysans passaient dans les logements pour enlever les morts. Ils en chargeaient plein des traîneaux, ensuite ils les menaient à 300 pas du village. Ils en faisaient un tas, le couvraient de bois et ensuite ils y mettaient le feu et les réduisaient en cendre. Ils nous conduisaient comme un troupeau de moutons. Ils marchaient sur les côtés avec de gros bâtons. Celui qui voulait s'évader pour acheter quelque chose pour sa subsistance, ils tombaient dessus à grands coups de bâtons, de manière qu'il nous soit impossible d'acheter du pain et autre chose qui nous faisait bien besoin, de sorte que nous ne mangions pas toutes les fois que nous avions le temps.

Non, c'est plutôt Myriam et moi qui étions mornes. Aucun de nous deux n'était à sa place.

Lorsque nous nous sommes couchés, j'ai plongé immédiatement dans le sommeil, un sommeil dense, épais, comme une matrice noire et chaude. La nuit j'ai à nouveau fait un rêve étrange. J'étais le même animal que la nuit précédente, une espèce de renard, ou peut-être une martre après tout, ça n'était pas très clair. Je devais échapper à une meute de poursuivants probablement armés. En tout cas ils me voulaient du mal. Nous étions dans une ville abandonnée : la catastrophe, sans que je sache de quelle catastrophe il s'agissait, était survenue.

Des serpents rampaient entre les gravats. Je courais, courais, me blessais les pattes sur des tessons de verre et de béton, m'infiltrais dans un immeuble détruit, grimpais dans les étages, des couloirs s'ouvraient, je filais dans des pièces en enfilade, empruntais d'autres escaliers qui soudain surgissaient devant ma course, je montais, courais, parcourais haletant ce labyrinthe de couloirs et d'escaliers dans quoi bien entendu je me perdais, mais j'étais soulagé car j'avais réussi à semer mes poursuivants.

Ils nous rendaient si tellement esclaves. Pour nous inviter à prendre du service dans leurs troupes maintes et maintes fois, ils nous sollicitaient pour nous faire engager et nous faire soldats russes, et de renoncer à notre patrie ainsi qu'à nos parents.

Ils nous faisaient beaucoup de promesses en disant qu'ils nous donneraient du pain, de l'eau de vie et de l'argent, que nous serions heureux, que nous ne serions plus dans l'esclavage. De sorte qu'ils nous promettaient plus de beurre que de pain.

Pendant quelques jours ensuite il ne s'est rien passé. Je veux dire : d'un strict point de vue personnel, et dans le registre des troubles physiques que je viens de décrire. La vie a suivi son cours plutôt morose. Les cours m'assommaient, sauf ceux sur la campagne de Russie, et les feuillets de Louis Folcher. Je ne cessais d'y penser. Je continuais à me dire que ce nom ne m'était pas inconnu, mais ne parvenais pas à l'accrocher à quelque souvenir que ce soit. J'étais surtout très ému par le témoignage de cet homme, par sa manière brute et immédiate de résister à l'asservissement en consignant son expérience douloureuse à la précarité de ces feuillets volants, dix-huit au total, que l'on avait retrouvés trois ans plus tard ensanglantés sur son cadavre, cousus dans sa veste, sur le champ de bataille de Waterloo.

> *Ils nous disaient que ceux qui ne voudront pas s'engager, qu'ils allaient les faire mourir de faim, de froid et de misères. Qu'ils allaient les mettre coucher dehors dans la neige, que nous allions être gardés par des paysans. Heureusement pour nous qu'ils ne l'ont pas fait comme ils disaient, parce que à moins de huit jours nous aurions tous été morts.*

Pour le reste, tout semblait s'effilocher comme un vieux vêtement : j'essayais d'assurer mes cours du mieux que je pouvais, mais j'agissais comme un robot. Les mots sortaient de ma bouche, je les voyais voleter quelques instants sans se poser où que ce soit et s'évanouir aussitôt dans le grand vent de l'indifférence abyssale des élèves – et de la mienne, qui ne l'était pas moins.

Lorsque je sortais du collège j'oubliais instantanément et simultanément le contenu des cours, les élèves et les collègues. J'étais un fantôme. Myriam aussi était un fantôme. Nous vivions à côté l'un de l'autre, sans hostilité mais en toute indifférence. Mina me souriait toujours par-dessus la haie, avec une insistance non feinte, et je lui rendais son sourire, tout aussi prometteur. Elle était vraiment séduisante, je ne m'en étais jamais rendu compte à ce point-là. Peut-être attendait-elle que je lui propose à nouveau de venir prendre un café, et plus si affinités comme on dit dans les annonces, à la maison, mais je ne l'ai pas fait. Ce qui me retenait n'était pas la pensée de Myriam, ni même celle de Lorna. Peut-être était-ce le fait que nous étions proches voisins. Et puis, je n'écrivais pas une ligne. J'étais vide.

Les rues, la ville entière semblaient vides. Non pas vides de gens, puisqu'il y en avait partout, ni vides d'énergie, puisque tout faisait du bruit et allait très vite,

---

Mais malgré toutes leurs sollicitations et leurs promesses, rien ne m'attendrissait à leurs avantages : plus ils faisaient de promesses, plus ils me dégoûtaient. Non, jamais ! J'aurais plutôt préféré cent fois mourir que de fléchir à une nation aussi traître et aussi barbare. Abandonner mes chers parents et ma patrie, oublier un père et une mère qu'ils m'ont donné l'existence et qu'ils ont tant eu de peine de soins de moi dans mon enfance, et une chère femme et un petit enfant que je ne connais pas ?

mais comment dire ? Vides d'évidence, de nécessité. Tout semblait s'agiter en vain, sans aucune autre raison que cette agitation. C'est difficile à expliquer, mais le cœur du monde me semblait être ailleurs. Le monde était coupé du monde, c'était la réflexion que je me faisais.

C'était un mardi. J'avais passé une partie de l'après-midi avec Lorna, dans la chambre d'hôtel où nous avions nos habitudes. Nous étions allongés, nus l'un contre l'autre, nous transpirions, nous étions bien. Bien et épuisés. Depuis quelque temps, nous baisions avec fougue, plus voluptueusement qu'avant, plus sauvagement aussi. Il y avait quelque chose de carnassier dans nos contacts. Nous avions davantage faim l'un de l'autre. Dehors les voitures défilaient sans se soucier de nous. Comme nous ne nous souciions pas d'elles non plus, l'équilibre était parfait.

– J'ai trouvé quelqu'un, m'a-t-elle dit soudain en allumant une cigarette.

J'ai aussitôt pensé qu'elle avait un autre amant.

– Quoi, quelqu'un ?

– Pour ce dont tu me parlais l'autre jour. Je t'ai trouvé quelqu'un.

– Ah oui… un chaman, c'est ça ?

Nous, malheureux prisonniers de guerre que nous avons été, vous chers lecteurs qu'il me faite l'honneur de lire ce petit détail de ma vie et notre grande misère, vous pouvez dire à haute voix que nous sommes des réchappés.

J'ai toujours invoqué le saint nom de Dieu et l'Être suprême m'a toujours donné les forces nécessaires pour ne pas succomber aux lois d'un peuple sans foi, sans esprit et sans civilité, brutal comme des ours. Ainsi que mes chers camarades, ceux qui s'en sont réchappés, mais bien peu !

Je voulus être un peu ironique, mais cela tomba à plat.

— C'est ça. Tu te rends compte, je le côtoie depuis quinze ans, et j'ignorais qu'il était chaman.

— Sérieux ? Un chaman par ici ? ai-je demandé, incrédule. Tu es sûre ?

— Oui. D'ailleurs tu le connais aussi, il répare ta voiture. Un Russe.

Je haussai les épaules.

— Je ne connais pas de Russes dans cette ville, à part toi.

— Mais si, fit Lorna en soufflant la fumée au plafond.

— Et puis d'abord, c'est Luigi qui répare ma voiture.

Lorna leva les yeux au ciel et ne répondit rien. Je restai quelques secondes à réfléchir. Il n'y avait pas tant d'employés que cela dans le garage. Le patron, Luigi, la comptable, Betty, qui en réalité s'appelait Berthe, et les quatre mécanos dont je ne connaissais pas les prénoms : le grand maigre aux cheveux filasses, le petit avec la clope vissée aux lèvres, le Marocain aux grands yeux, et...

— Le Chinois, là ?

— Russe, je te dis, insista Lorna.

— D'accord, bougonnai-je, mais on dirait un Chinois.

Parfois j'avais vraiment des réponses de gamin.

Oh Grand Dieu ! Lorsque je songe à d'aussi cruels tourments, que j'ai soufferts, le sang m'en frémit encore dans veines. Non, l'on ne m'aurait jamais fait croire que l'homme est dans le cas d'endurer d'aussi grands tourments comme j'en ai enduré sans succomber au tombeau. J'ai été six mois et huit jours sans changer de chemise : depuis le douze novembre 1812 jusqu'au vingt mai 1813. Ainsi jugez si elle devait être bien blanche ! J'en avais deux, l'une surtout, elle me garantissait beaucoup plus de la rigueur du temps mais en récompense il n'y manquait pas de compagnons !!!

– Eh bien non, il est bouriate, comme ma mère. Tu peux aller le voir, il saura quoi te dire sur tes rêves d'animaux et tes paralysies. C'est un homme de la forêt. Il a grandi seul avec ses parents et ses frères dans une cabane près du lac Kipylyushi, c'est au nord-est du Baïkal, puis sur l'île d'Olkhon, cette fois au milieu du Baïkal. Soit dit en passant, ce sont deux lieux hautement sacrés pour les Bouriates.

– Ah oui ? fis-je, comme si cela m'intéressait vraiment.

Lorna, qui n'était pas dupe, me jeta un regard qui signifiait à peu près « Mais à quoi joues-tu ? »

– Oui, on dit que c'est dans ces deux lieux que la distance entre le monde des vivants et celui des esprits est la plus faible. Bon, je n'ai pas vérifié, sourit-elle. Ensuite il a un peu vécu à côté d'Irkoutsk, où il exerçait la profession de chaman, puis à Moscou, et il est arrivé ici, voici quinze ans.

– Pourquoi donc ?

– Je ne sais plus, mariage, je crois, fit Lorna. Ici, il n'utilise ses pouvoirs de chaman que pour ses proches. Et accessoirement il répare des bagnoles.

– Je ne suis pas un de ses proches, objectai-je.

– Exact mon amour, mais tu as la chance de connaître une trois-quarts Bouriate, dit Lorna en m'embrassant. Et ça, ça aide drôlement.

Lorsque je pouvais les mettre réchauffer dans un four, je ne manquais pas l'occasion lorsqu'elle était aussi avantageuse pour moi. Lorsque je retirais mes chemises du four, les poux étaient brûlés. Ils étaient ramassés en tas gros comme le pouce. De place en place dans mes chemises, lorsqu'ils étaient bien brûlés, je secouais mes chemises, les poux tombaient comme de la poussière, ainsi voyez qu'il y en avait quelques-uns !

C'était la première fois qu'elle me disait « mon amour ». Cela m'a excité, et je me suis jeté sur elle.

Le lendemain, j'étais à nouveau seul à la maison. Je sortis et vis par-dessus la haie Mina qui prenait le soleil dans son jardin. Allongée sur sa chaise longue, elle portait un maillot presque invisible. Elle fermait les yeux face au soleil. Je la trouvai très excitante. Étaient-ce mes rêves récents, je ne sais, mais en la voyant presque nue, la peau dorée, le nez pointu, abandonnée à la chaleur du soleil, je pensai instantanément à une renarde. Je n'ignorais pas que dans certaines traditions les renardes sont des magiciennes, de dangereuses séductrices, et cela me plaisait plutôt. Je l'observais, et je bandais.

Elle dut se rendre compte du poids et de la chaleur de mon regard sur son corps, car elle bougea un peu, tourna la tête vers moi, mit la main en visière devant ses yeux, et me fixa. Nous nous regardions muettement par-dessus la haie, nos yeux parlaient pour nous. Cela dura presque une minute. Puis elle me dit simplement :

– Bob n'est pas là aujourd'hui.

J'enjambai la haie et la rejoignis.

Mais les habitants étaient pour le moins aussi sales que nous. Les poux sont plus communs chez eux que l'argent, parce qu'ils n'ont point d'argent : des poux ils en ont en grande quantité. Moi je peux dire que j'en ai eu autant comme l'on peut en avoir parce que si j'en avais eu davantage, ils m'auraient mangé tout vif.

Quelques jours plus tard je suis allé voir le type. Nous avions rendez-vous à 14 heures, c'était son jour de repos. Il vivait en appartement, et me reçut dans sa salle à manger. La première chose que je notai fut un arbre mort calé au sol par des sacs, dont les branches atteignaient le plafond. Les volets étaient croisés, mais malgré la pénombre je vis aussi plusieurs toiles accrochées aux murs, qu'il avait peintes lui-même, me dit-il. Un chaman-artiste. Je m'approchai de l'une d'elles. Ce qu'elle représentait n'était pas très net, cela ressemblait à un amas de créatures entremêlées et grimaçantes, qui tentaient de se délivrer l'une de l'autre, le tout dans un camaïeu de bruns qui n'aidait pas à la différenciation des formes. Il y avait aussi des crânes posés sur une étagère, crânes de chats peut-être, ou de renards, je n'en savais rien, des bois de chevreuil, des plumes de grand oiseau, un aigle probablement, toutes sortes de résidus animaux, morceaux

---

Ils m'avaient déjà à plus de moitié mangé. Je n'avais plus que la peau étendue sur les os. Mon corps ressemblait à un squelette, j'avais les yeux morts dans la tête, je ne pouvais plus parler, presque plus de mouvements dans les membres.

de fourrure, dents, vertèbres, et carcasses de petits oiseaux.

Il s'appelait Elias Djordjé. Je lui racontai mon cas. Les paralysies s'étaient répétées presque chaque jour, avec chaque fois des larmes, des frissons plus longs et plus intenses, et de violentes bouffées de chaleur, à l'issue de quoi je me retrouvais aussi épuisé qu'affamé, me ruant sur n'importe quelle nourriture à portée de main pour l'engloutir avidement. Heureusement, cela ne se produisait que lorsque j'étais seul. Mon sommeil était de plus en plus lourd et profond, et mon appétit sexuel semblait décuplé. Les rêves aussi s'étaient reproduits, surtout des rêves de sieste, plus forts et plus prégnants de jour en jour. J'étais toujours le même petit animal, martre ou renard, plutôt renard, mon poil était roux, je parcourais les bois, les rives de lacs que je n'avais jamais vus, parfois j'étais en ville, assailli par des meutes de poursuivants qui voulaient ma peau. La plupart du temps, il y avait des serpents, à un moment ou un autre du rêve. Souvent aussi je nageais dans une eau verte, et me trouvais les pattes emmêlées dans des algues qui me retenaient prisonnier, j'avais beau me débattre, il m'était impossible de m'échapper. J'en ressortais hébété, convaincu d'avoir vécu une expérience tout à fait réelle et vraiment hors du commun.

Suite d'un peu plus de soulagement à l'époque du vingt mai 1813. Depuis cette époque que nous avons eu la permission de travailler. Mais j'étais bien faible, bien misérable.

Je faisais pitié. L'on aurait pas donné deux sous de ma personne, mais plusieurs journées se sont écoulées, le beau temps et les beaux jours ont commencé à renaître.

Je racontai tout cela à Djordjé, lui décrivant les sensations physiques, mais sans entrer dans le détail de mes rêves.

– Vous n'avez jamais mangé de renard ? me demanda-t-il.

– Pardon ?

– Du renard. Vous n'en avez jamais mangé ? Ou simplement tué ?

Je restai interdit pendant quelques secondes.

– Bien sûr que non, finis-je par répondre. Quelle drôle d'idée.

– Pas si drôle. Mais c'est plutôt valable pour les ours. L'esprit de l'ours prend parfois possession de celui qui a mangé de l'ours la veille. Plus rarement, de celui qui l'a tué, s'il ne s'en est pas excusé. Bon, il n'y a pas d'ours par ici, de toute façon. C'est l'esprit d'un renard qui joue avec vous.

Je ne comprenais rien à ce que me racontait ce type. Il sourit, et dans la pénombre son sourire me fit un peu peur. Je le préférais de loin penché sur un delco. Il se mit à me palper le dos, le ventre et le crâne, à marmonner des trucs, à verser de l'eau par terre (ou de l'alcool, car une odeur se dégageait, me semblait-il) et à fermer les yeux en dodelinant de la tête, les doigts posés sur mon crâne, tout en tenant fermement l'arbre mort de l'autre main.

Il soufflait un peu, gémissait ou grognait parfois. De temps en temps il saisissait un petit tambour qu'il

---

Le sang a commencé de nouveau à flotter dans mes veines. Le courage et la force m'est successivement revenu. Les cheveux m'ont tombé de la tête. Une nouvelle peau s'est formée sur mon pauvre cadavre dont qu'elle en a fait tomber la vieille par morceau.

percutait en marmonnant. Il parlait aussi, mais pas à moi, ni à personne d'ailleurs : pour lui-même, semblait-il. Je l'entendis clairement murmurer quelque chose comme « Plus bête qu'un veau », et aussi « Tu ne comprends rien, tu ne vois rien ». Je fermai les yeux. Cela dura quelques minutes. Ses mains étaient à nouveau posées sur mon crâne. Ordinairement, je n'aimais pas beaucoup ça, mais là, je laissai faire. J'espérais qu'il n'y avait aucune caméra de surveillance, aucune trace de ma visite, sans quoi j'étais grillé partout, à me prêter ainsi à ces idioties.

Puis il retira les mains de mon crâne.

– Racontez-moi vos rêves plus précisément, dit-il.

J'eus un peu de mal au début, je crois même que j'y étais franchement hostile, et puis je me sentais embrumé, engourdi aussi. Mais je me suis pris insensiblement au jeu. Je lui racontai tous ceux dont je me souvenais, tous mes rêves de renards, et ils étaient nombreux.

Au bout d'une quinzaine de minutes, il me fit signe d'arrêter. Il me regarda, et sourit à nouveau de ce sourire inquiétant – ou était-ce la situation pour le moins inhabituelle qui me le présentait ainsi. Je le trouvais fort différent du type anodin que je voyais parfois de loin les mains dans un moteur, ou allongé à faire la vidange d'un 4×4. Ici, il émanait de sa personne un mélange de rudesse et de sérénité que je ne lui avais jamais vues auparavant. Peut-être les circonstances dictaient-elles à la fois son attitude et l'acuité de mon regard sur lui.

> *Mon corps a recommencé de nouveau à prendre de la nourriture de sorte qu'en peu de temps je m'ai suis rétabli. J'avais un appétit si tellement grand que j'aurais bien mangé cinq livres de pain par jour. Jour et nuit, j'avais toujours faim. Je ne pouvais pas me rassasier. J'aurais mangé le diable et ses cornes.*

Certainement, même. À quoi bon un regard empli de sérénité sur un carburateur ? me disais-je – encore qu'on n'en sache rien, au bout du compte. Les bagnoles se réparent peut-être aussi chamaniquement.

– Très bien, dit-il. Je crois que vous n'avez pas vraiment besoin de moi. Vous vous êtes dit à vous-même ce qu'il fallait savoir.

Je ne comprenais rien.

– Ah bon ? Et de quoi s'agit-il ?

Il sourit encore, se leva et me raccompagna à la porte.

– Le visage, cher ami, fit-il en haussant les sourcils.

Il referma doucement la porte derrière moi et je me retrouvai planté sur son palier, bras ballants, et l'air probablement un peu stupide.

Je ne l'avais pas payé. Il ne m'avait rien demandé.

En sortant de chez lui, après quelques pas dans la rue, j'eus une sensation bizarre : je ne savais plus quel jour nous étions, ni l'heure de la journée. Je dus faire un effort avant de remettre mon horloge interne en route, vérifiai à ma montre, et constatai qu'il était presque 17 heures. J'avais donc passé près de trois heures chez lui. Tout d'abord je ne le crus pas, et dus m'en convaincre en regardant furtivement la montre d'un type qui, dans une encoignure de porte, allumait une cigarette, me laissant ainsi le temps de fixer son poignet. Il me semblait pourtant que j'avais passé avec Djordjé une trentaine

---

Ceux qu'ils habitent les villes ne sont esclaves que de la couronne. Ils vendent eux-mêmes leurs propres enfants à ceux qu'ils les veulent acheter. Ils ne vendent pas cher, un garçon de 16, 18 et 20 ans, se vend depuis 25 à 30 francs, une fille se vend 20 à 25 francs. Mais ils ne savent rien faire, ils ne sont bons qu'à boire et à manger et à dire des malhonnêtetés à l'un et à l'autre.

de minutes, pas davantage. Le temps s'était compressé de manière ahurissante. Je m'étais peut-être endormi pendant qu'il me massait le crâne, mais je trouvais très étonnant de ne pas m'en être rendu compte.

Je me suis assis dans un café, un peu hébété. J'ai commandé une bière. Le serveur me l'a servie avec des cacahuètes. Je l'ai payée tout de suite. Installé derrière la vitre, je regardais par intermittence les gens passer sur le trottoir.

C'est là que la chose s'est produite.

Je ne faisais rien de spécial. Au bout de quelques minutes, alors que j'étais en train de saisir une cacahuète et de la porter machinalement à ma bouche, alors que je venais d'observer le visage grave d'un enfant portant à deux mains une cage à oiseaux, une scène furtive m'agrippa du coin de l'œil. Et ce fut soudain comme si les clochettes de l'air s'étaient mises à tintinnabuler toutes ensemble, m'avertissant d'un danger imminent. Je me tournai vivement, et un violent frisson d'effroi m'enserra le crâne : j'étais sur le trottoir. C'était *moi*, j'étais là, à l'extérieur – ou plutôt *j'avais été* là, puisque je venais de me voir moi-même en train de courir et passer en trombe devant la vitrine du café. Instantanément je me raisonnai et me dis qu'il s'agissait juste d'un type qui me ressemblait plus ou moins et qui, vêtu exactement comme moi, courait sur

Mais tout le menu peuple ne peut pas faire apprendre à lire à leurs enfants. Les hommes ne peuvent pas se raser ; il ne leur est pas permis d'avoir des cheminées à leur maison ; ils ne peuvent pas non plus avoir des lits. Ils couchent sur des bancs et sur le four sur des pavés parce que dans chaque maison il y a un four dans lequel ils font cuire tout le pain et leur potage.

le trottoir pour attraper un bus, un taxi ou une amie aperçue au loin, n'importe quoi.

Je me raisonnais mais je sentais pourtant encore vibrer cette onde de terreur qui m'avait heurté, inondant d'un liquide noir mes tempes et mon échine – comme lorsqu'on voit un fantôme, pensai-je aussitôt, moi qui n'en avais jamais vu. Je ne sais trop pourquoi – peut-être la ressemblance qui m'avait terrifié, doublée du trouble dans lequel m'avait plongé la séance chez le chaman garagiste – je sortis précipitamment, dans l'intention de suivre le type, et abandonnai ma bière sans la terminer. Je le vis disparaître à l'angle du pâté de maisons sur la gauche, le poursuivis, le perdis de vue, bousculai quelques passants, hésitai entre la gauche et la droite, le vis à nouveau courir à quelques dizaines de mètres de moi et tourner en longeant un bâtiment gris. Je continuai à le poursuivre. Tout en courant je pus l'apercevoir pendant cinq à six secondes consécutives : aussi loin que je sache, et bien que je ne me sois jamais vu courir de dos, nous avions la même taille, la même démarche, la même silhouette, les mêmes habits, la même coupe de cheveux : nous étions identiques à n'en pas douter, c'était très troublant mais j'étais à présent tout entier dans ma course, je voulais le rattraper, le saisir à l'épaule et le faire se retourner pour m'excuser en balbutiant « Je vous ai pris pour un autre, désolé ».

Et pour le costume, les hommes et les femmes sont costumés l'un comme l'autre. L'on distingue le genre masculin à celui du féminin par la barbe. Excepté ceci, il y a bien peu à dire. Tous les habitants des campagnes appartiennent aux barons de sorte qu'ils peuvent en disposer à leur gré. Ils peuvent les battre, les tuer et les vendre. Ils sont chez eux, comme en France un troupeau de moutons appartient à un fermier.

73

À nouveau il disparut à l'angle d'un immeuble, je le suivais toujours à bonne distance, une distance qui n'augmentait ni ne diminuait, je le vis alors sortir d'un magasin où je ne l'avais pas vu entrer et filer en trombe vers la gauche, je croisai un enfant qui portait une cage à oiseaux, j'accélérai, l'homme disparut à l'angle de l'immeuble – et là je m'arrêtai, frappé d'une invraisemblable évidence. Je fis demi-tour : l'enfant, le même que tout à l'heure, était au bout de la rue avec sa cage à oiseaux qu'il tenait précautionneusement des deux mains. Je fus à peine surpris de constater que le magasin d'où je venais de voir le type sortir en courant après quelque chose ou quelqu'un n'était pas un magasin, mais le bar dans lequel j'étais assis cinq minutes plus tôt. Je vis derrière la vitre le serveur récupérer le demi que je n'avais pas terminé et essuyer le plateau de la table d'un geste circulaire, habituel et rapide.

Lorsqu'ils font travailler leurs paysans, il faut qu'il y ait un schlagueur avec un gros bâton, et qu'il frappe dessus comme sur du blé vert. Les coups leur font autant comme des ours. Il y avait beaucoup de nous qu'ils étaient placés chez des barons pour faire travailler ces bêtes-là.

Avant de rentrer à la maison, j'appelai Lorna. Elle venait de terminer les cours. Je lui racontai tout cela, le souffle, les grognements et les murmures du garagiste-chaman, la sensation d'engourdissement, le temps compressé, l'arbre mort, les propos de la fin, sur le palier. Je préférai ne pas lui raconter l'histoire de mon double enfui devant moi. Je craignais qu'elle me prenne pour un fou.

En réalité je craignais surtout qu'elle ait raison de me prendre pour un fou. Je ne connaissais que deux exemples de personnes qui s'étaient trouvées face à leur double, c'étaient deux écrivains sujets aux hallucinations, et dont la raison avait fini par vaciller : Musset qui avait tenté de tuer son double d'un coup de pistolet dans la forêt de Fontainebleau, et Maupassant qui, entrant chez lui, s'était vu assis dans son

> *Il nous fallait leur montrer de la manière de travailler et ceux qu'ils ne travaillaient pas bien, nous tapions dessus à grands coups de bâton. Moi j'en ai eu sous mon commandement pendant quatre mois mais je les ai bien battus pour huit mois. Ah ! je leur ai fait payer les coups que j'avais reçus d'eux étant si malheureux.*

fauteuil. En ce qui me concernait, même si je ne m'étais pas vu avec précision, j'avais eu la sensation très nette de pénétrer un film de science-fiction, et de me trouver brièvement prisonnier d'une boucle temporelle.

De cela, des images répétées de cet enfant à la cage à oiseaux et de ma copie conforme surgissant en courant du café d'où j'avais moi-même surgi trois minutes plus tôt, je ne me remettais pas vraiment. C'était comme si la réalité, en un éclair, s'était insensiblement tordue, et que j'aie vécu moi-même, dans mon propre corps, cette infime distorsion, ce subtil tremblement du réel avant que tout, soudainement, se remette en place. Comme une image qui se brouille, devient floue, et redevient nette. Cela semblait ridicule ou délirant, mais enfin cette expérience que j'avais vécue, je ne pouvais la nier. Elle était certainement le signe de quelque chose, mais quoi ?

Sur les minutes évanouies, Lorna ne parut pas plus surprise que cela.

— Je connais des gens qui ont participé à des séances de spiritisme, dit-elle, ils prétendent avoir eu la même sensation d'une accélération du temps.

Lorna connaissait des gens qui avaient participé à des séances de spiritisme. Voilà qui m'étonnait au moins autant que le fait qu'elle me conseille d'aller voir un chaman.

Les barons nous ont sollicités beaucoup pour rester chez eux, qu'ils nous auraient donné des emplois, que nous n'aurions point travaillé, nous aurions commandé les paysans, être chef d'atelier ou homme d'affaires. Ceux qui s'avaient lire et écrire, qu'ils seraient précepteurs et tenir compagnie aux barons.

Pour le reste, elle m'encouragea à repenser à tout cela à tête reposée. La nuit porte conseil, crut-elle même bon de dire.

– Et sinon, ai-je ajouté pour plaisanter un peu, je m'attendais à trouver un type vêtu de peaux de bêtes et coiffé d'un bonnet, mais pas du tout. C'était assez anodin, somme toute. Sauf peut-être le tambour. Et cette histoire de temps qui a filé, bien entendu.

– Tu aurais peut-être préféré plus de folklore ? demanda Lorna.

Elle ne plaisantait pas, je n'entendais aucun sourire dans sa voix. Quelque chose l'agaçait. Ma distance faussement ironique peut-être. Il faut dire que je la forçais un peu.

Je rentrai chez moi, vis Mina qui me fit un signe de la main depuis la fenêtre de sa cuisine. Mina la renarde. Son mari était là. Je lui souris d'un air à la fois entendu et complice, et rentrai chez moi.

La soirée fut sans histoires. Myriam avait préparé des boulettes de viande. Les enfants furent très turbulents. La nuit profonde, et sans rêves. Cette fois-là je mis un certain temps à m'endormir cependant. Je ne cessais de penser à ma séance si peu spectaculaire chez le chaman, et surtout de revivre la scène, beaucoup plus spectaculaire, de l'après-midi, de me la repasser en boucle, c'était le cas de le dire, et de n'y

Et que jamais nous ne serions esclaves, que nous marierions à la fille qu'elle nous conviendrait si elle était esclave, qu'elle ne le serait plus, qu'elle serait en liberté comme nous.

Dans la ville que nous étions, il en a resté 45 de 400 hommes. Pour y rester, il fallait se faire débaptiser et se faire baptiser russe parce qu'ils ne sont pas de notre même religion : ils sont Catholiques apostoliques asmatiques grecs et non romains.

rien comprendre. Je ne savais pas s'il y avait une relation entre les deux. Je mettais cela alternativement, voire simultanément, sur le compte d'une grande fatigue que pourtant je n'avais pas la sensation d'éprouver, et d'une succession de coïncidences : un type vêtu comme moi pressé comme un diable, un deuxième enfant portant une cage à oiseaux – on ne sait jamais, tout peut arriver, me disais-je, et, à tout prendre, toute explication, même la plus invraisemblable, sera plus recevable que le fait de m'être trouvé prisonnier d'une boucle temporelle comme un héros de Philip K. Dick.

Le lendemain Djordjé me téléphona. Il avait vu le serpent de mes rêves, me dit-il. Je ne répondis rien, de peur de le vexer.

– Écoutez, je sais ce que vous pensez, dit-il après un silence, et je ne cherche pas à vous convaincre. Mais je vous rappelle que c'est vous qui êtes venu me voir. Alors écoutez bien, et faites-en ce que vous voulez : ce qu'il y a de nuisible en vous fait partie de vous. C'est le serpent. Il est enfoui très loin au plus profond de vous-même. Le renard dont vous rêvez régulièrement n'est pas vous, mais vous le convoquez dans vos rêves, et il cherche à vous dire quelque chose, à se rappeler à vous. Le serpent, lui, vous tourne autour. Il est dangereux, croyez-moi. Vous le détruirez en retrouvant votre

Moi, jamais leurs promesses ne m'ont tentées. Je serrais dans ma main la médaille de l'Empereur et je leur disais que quand ils me feraient ma fortune et qu'ils me donneraient la plus belle femme de toute la Russie ainsi que le plus bel endroit de tout leur pays, jamais je ne voudrais y rester, que je me plairais mieux en France à mendier mon pain qu'en Russie avec ma fortune.

visage d'avant. Pour cela il vous faut rejoindre l'envers du monde. C'est tout.

L'envers du monde... Comme je ne savais que répondre, je lui dis :

– Bien, bien... je vais y réfléchir, merci... Et... combien vous dois-je, pour tout ça ?

Il raccrocha. Je me sentis un peu crétin.

Deux jours plus tard j'allai le revoir. Il fallait que je parle à quelqu'un de ce qui s'était passé le jour où j'étais sorti de chez lui et m'étais assis dans ce bar. Je ne voyais pas à qui d'autre raconter cela. De plus, mes symptômes s'étaient à nouveau manifestés par deux fois, et de la même manière : paralysie, larmes, bouffées de chaleur, épuisement, faim de glouton. Il m'écouta attentivement, ne parut pas excessivement surpris, ne fit aucun commentaire, ne saisit pas son tambour, ne me tripota pas le crâne, ne me palpa ni le ventre ni les épaules.

Il me laissa simplement quelques minutes allongé dans le noir tandis que je l'entendais dans la pièce d'à côté qui psalmodiait je ne sais quoi d'une voix grave, bien plus grave que celle que je lui connaissais. Là encore ces quelques minutes se métamorphosèrent sans que je sache comment en trois quarts d'heure, bien que je fusse à peu près certain de ne pas m'être endormi. Quand je fus sur son palier et que je lui demandai combien je lui devais, il haussa les épaules et dit, comme à regret, que c'était moi qui voyais. Je lui glissai un billet

---

L'ordre de notre bienheureux départ est arrivé dans les gouvernements que nous étions le 4 juin 1814. Lorsque l'ordre est arrivé de nous faire partir pour notre chère patrie, la noblesse nous a regrettés beaucoup. Ils ont même donné de l'argent à plusieurs.

79

de cent francs dans la main, il l'empocha sans y jeter un coup d'œil.

– Le serpent est toujours là, me dit-il, enfoui au fond de vous, mais il vous faut faire en sorte qu'il vous oublie. Le seul moyen est que vous retrouviez votre visage, ainsi que vous vous l'êtes dit vous-même dans l'un de vos rêves. C'est le renard qui vous possède, mais il est amical. Le serpent, lui, est hostile. Pourtant ils ne font qu'un : le renard est ce que vous avez oublié, le serpent est ce qui cherche à vous atteindre. Pour régler tout cela, il faut que vous retrouviez votre visage dans le miroir. Pour le moment vous vous courez après sans vous rattraper, donc sans le voir. Il vous faudra aller le chercher loin : à l'envers du monde, très précisément – mais vous pouvez le faire. Votre visage dans le miroir, n'oubliez pas. À l'envers du monde. Pensez à là d'où je viens.

Et il me sourit en refermant la porte.

Je n'étais pas beaucoup plus avancé. Ce gars était vraiment énigmatique. Non seulement ses propos sibyllins ne m'évoquaient rien, mais en outre ils m'agaçaient un peu : j'avais l'impression de m'être laissé rouler dans la farine par un charlatan. Sans compter que je me disais que j'allais devoir me trouver un autre garagiste. Il était hors de question que j'aille faire réparer ma

---

Nous avons été 3 mois et 27 jours en marche pour nous rendre en France. Nous avons marché 26 jours en Russie avant que d'arriver à la Pologne russienne.
Nous avons marché plusieurs fois 80, 90 et 100 lieues sans trouver une ville. Le peu de villes que nous avons trouvées, c'était bien peu de choses. Les villes de Russie ne sont pas aussi belles qu'un mauvais village de France. Les villages sont si vilains et détestables que je n'ai pu rien mettre à comparaison.

bagnole en courant le risque de voir ce type m'accueillir avec un regard complice, voire un sourire chaleureux et des propos amicaux, ou, pire, faisant part d'une réelle inquiétude à mon égard, toutes manifestations déplacées dont ni Luigi ni Betty ne comprendraient la raison, que je n'avais pas l'intention de leur détailler par le menu.

Les semaines passèrent. Au début je ne cessai de penser à l'épisode de la boucle temporelle – je ne savais pas comment le désigner autrement. Heureusement cela ne s'était pas reproduit. Peut-être grâce à Djordjé, comment savoir. Si bien qu'une sorte de sauvegarde intime se mit en place : je finis par me persuader que je devais le considérer comme une hallucination sans conséquence. Je fis de mon mieux pour le ranger quelque part de côté, sous le tapis moelleux et bien commode de ma conscience déjà assez perturbée par les crises qui m'assaillaient par ailleurs.

Car elles ne cessaient pas, au contraire, et se doublaient de plus en plus souvent de larmes irrépressibles et d'abondante transpiration. Et toujours ensuite cette faim puissante, animale. Par chance, chaque fois elles se produisaient lorsque j'étais seul. Je redoutais de plus en plus de me trouver en compagnie, que ce soit avec des amis parfois le soir, au collège face aux élèves, ou à la maison devant les enfants, avec cette boule au plexus

---

De plus ils sont très écartés les uns des autres. Il y a beaucoup de forêts et de marécages où qu'il ne peut rien abriter que des animaux sauvages et bêtes féroces.
Donc qu'il y avait 364 lieues en Russie que nous les avons faites en 37 jours de marche. Nous sommes entrés en Pologne prussienne, encore un bien mauvais pays.

qui bloquait ma respiration et cette paralysie qui gagnait mes membres.

Mon souffle en toutes circonstances devenait de plus en plus court – en toutes circonstances ou presque : il n'y avait que lorsque je faisais l'amour avec Lorna, ou avec Mina, surtout avec Mina, que j'arrivais à voir chez elle deux fois par semaine environ, que je me sentais bien.

De ce point de vue, cette crise que je traversais était une bénédiction : mon énergie sexuelle semblait inépuisable. Je commençais même à éprouver à nouveau du désir pour Myriam. Pour le reste, j'évitais au maximum de rencontrer du monde. Lorsque je parvenais à prendre un peu de recul, je mesurais le paradoxe qui faisait qu'alors même que j'étais absolument libre d'organiser ma vie sexuelle, familiale et sentimentale à peu près comme je le voulais, sans me sentir le moins du monde enchaîné, je me sentais vide, abandonné, et prisonnier d'un invisible et lourd carcan qui perpétuellement pesait sur ma poitrine, bloquant ma respiration et mes gestes. Je me connaissais assez pour ne pas mettre cela sur le compte d'une culpabilité que j'étais à des années-lumière d'éprouver.

Les rêves aussi continuaient, par intermittences. Toujours les mêmes ou presque. Mais au lieu de m'y

Mais lorsque nous avons eu passé la Pologne, nous avons entré en Allemagne. Nous avons été passablement bien. Les habitants étaient obligés de nous nourrir. Maintenant je vais faire le détail de notre route : savoir le nom des gîtes en observant les changements de pays, à savoir : En Russie, départ de notre résidence ci-devant : Orel Acebra, Salamiln, Garacho, Vesopolio, Brimke, Paguecowit, Soumarounyo, Maglin, Soupauna, Sourago, Kinzi, Nowesto, Boulouducka, Suctolovitzi, Sicherski, Soudomenka, Mogueschef, Miratef, Babruska, Vilze, Glousk, Krevanossi, Ourech, Slousk, Romane.

habituer, je les redoutais de plus en plus : j'étais toujours ce petit animal, renard ou chien ou martre ou je ne sais quoi, et toujours je devais fuir, ou assister à des massacres, ou me terrer quelque part en attendant que passe la horde des massacreurs, tremblant sous une couverture de feuilles et de terre, et des serpents toujours me frôlaient, me couvraient parfois le corps, quand ce n'étaient pas des algues qui cherchaient à m'entraîner au fond d'un lac tandis que je nageais pour fuir mes poursuivants. Je m'éveillais en sueur, invariablement terrifié, épuisé. Je n'en pouvais plus.

Hormis pendant les séances de baise avec Lorna et Mina, où l'intensité du plaisir que je prenais et de celui que je procurais me surprenait moi-même, mes journées étaient globalement déprimantes. Si en plus mes nuits ne m'étaient plus d'aucun secours ni ne fournissaient aucune possibilité de compensation ou de récupération, je n'allais pas tarder à m'effondrer.

Bien entendu, je ne pensais même plus à écrire une ligne. Je ne lisais plus non plus. Je ne faisais rien, sauf me pencher sur moi-même, au-dessus du puits sans fond qu'il me semblait être devenu, cherchant à définir les contours flous de mon visage qui m'échappait.

Fin de la Russie.
Pologne russienne, à savoir : Nexpuije, Galinska, Novonoïs, Salamin, Oslerze, Goromitouch, Celetz, Proujani, Sougopaul, Doubany, Beliska, Bialistok, lieu de repos pour y prendre de nouveaux ordres.
Départ de Bialistok, fin de la Pologne russienne pour entrer dans la Pologne prussienne.

– Tu dois partir, me dit Mina.

Elle me fixait de ses petits yeux pointus. Son museau de renarde. Sa peau douce et dorée. Je sentais l'odeur de son sexe. J'avais faim d'elle.

– Tu dois partir. Après-demain, c'est les vacances pour toi. Pars quelque part : à la montagne, au grand air, je ne sais pas.

Je ne répondis rien. Elle avait peut-être raison. Je pensais à Louis, que je n'avais plus vu depuis sept ans, depuis qu'il était venu me dire adieu. Lui, il était parti pour de bon. Peut-être vivait-il depuis lors en ermite dans une cabane au fond des bois, sans voir personne ou presque, juste quelques villageois des environs, des taiseux qui jamais ne révéleraient sa présence, d'austères bûcherons avec qui il faisait du troc, gibier ou peaux de bêtes contre allumettes, piles, riz, pâtes, conserves

Pologne prussienne, à savoir : Kuischin, Tikochin, Menzenin, Lomza, Miostkowo, Ostrolinka, Mozan, Poutousk, Stregostchin, Plousk, Gora, Ziolkowo, Plalzk, Gostinin, Lanient, Dombrowitza, Klodomo, Gregorzewo, Grudzewo, Turek, Zekow, Kalisch, Ostrowo. Fin de la Pologne prussienne pour entrer dans la Silésie prussienne.

et autres denrées introuvables en forêt. Peut-être était-il mort. Comment savoir.

– Je peux t'accompagner, ajouta-t-elle. Bob est absent pour la semaine, en séminaire je ne sais où. Partons ensemble, si tu veux. Je m'occuperai de toi.

Nous étions chez elle, allongés nus dans son lit, nous venions de faire l'amour, c'était un mercredi après-midi. Je lui avais raconté mes troubles, et elle me proposait de partir avec elle. La renarde me proposait de trouver un terrier commun pour quelques jours, un terrier où nous ébattre à notre aise, et peupler notre imaginaire de petits renardeaux lubriques. Elle était lovée contre moi, sa cuisse sur la mienne, ses doigts jouant avec les poils de ma poitrine. J'adorais son odeur. Je me demandais ce qu'elle faisait avec un type aussi ballot que son Bob, qui coupait les serpents en deux. Ils n'avaient même pas d'enfants, manifestement elle ne l'aimait pas, elle pouvait partir quand elle voulait.

– C'est compliqué, m'avait-elle dit un jour. Je l'aime bien, il est désarmant de gentillesse parfois. Mais je ne suis pas sûre de finir mes jours avec lui, si c'est ce que tu veux dire. Et puis je ne veux pas d'enfants. Pas de lui en tout cas.

Je n'avais pas cherché à en savoir davantage. Après tout, c'étaient leurs affaires.

– Ce serait une bonne idée, non ? poursuivit-elle en m'embrassant doucement sur les yeux, puis les lèvres, la poitrine, et à nouveau les lèvres.

Silésie prussienne, à savoir :
Salmirschitz, Militsch, Trachenberg, Veutzig, Steurau, Serbeu.
Fin de la Silésie prussienne pour entrer dans la Saxe.

Sa langue chercha la mienne. Ses mains descendirent vers mon sexe, qui durcit à nouveau. Ses cheveux inondaient mon visage. Je lui caressai les seins, elle gémit un peu, je la saisis par les fesses et l'installai sur moi, sans cesser de l'embrasser, la lécher, la dévorer doucement. L'amour avec Mina était plus tendre qu'avec Lorna. Moins fougueux peut-être, mais au moins aussi excitant – et je me disais, très égoïstement, que j'avais besoin des deux.

Les vacances arrivèrent. Je terminai avec les troisièmes la séquence sur la retraite de Russie, la lecture des feuillets de Folcher et les références au *Colonel Chabert* que mon collègue de français leur avait fait étudier. Nous étudiions au passage un peu de géographie et je leur faisais remarquer que l'errance de Chabert allant d'Eylau à Stuttgart puis Karlsruhe avant de rejoindre la France venait certainement recouper quelque part aux environs de Dresde ou Leipzig celle de Folcher et les rescapés de son calvaire en Russie. Peut-être même se sont-ils croisés, ou parlé, faisais-je mine de supposer, et si la plupart ne disaient rien, certains approuvaient muettement, aucun ne semblant plus faire la différence entre fiction et réalité.

J'avais prévenu Myriam et les enfants que pendant ces vacances j'avais besoin de partir seul quelque temps.

Saxe, à savoir :
Hagnau, Bruntzhau, Maldau, Georlitz, Rottakresch, Dresde, Meisse, Stauchitz, Wermdarf, Wutstzen, Leipzig, Lutzen, Weisenfels, Anerstaudt, Erfurt, Abfurts, fin de la Saxe pour entrer en Bavière.
Bavière, savoir :
Sceuiunfurtz, Snitelichtz, fin de la Bavière pour entrer dans la Principauté de Wursburg.

Pour écrire, avais-je menti. Lorna ne me demanda pas où j'allais, elle sentait que quelque chose lui échappait. Elle était remarquablement intuitive. Sa connaissance du monde, des êtres et des choses, visibles ou invisibles, ne passait pas toujours par les mots. Sans doute un héritage de ses grands-mères chamanes.

Je réservai sous un faux nom une chambre dans un petit hôtel de montagne, où la vue ouvrait sur un val encaissé, bordé de falaises abruptes avec un glacier au loin, et face à un lac bordé d'épicéas. Mina me rejoignit. Je ne m'explique pas comment elle avait pu négocier ça avec son lourdaud de mari, sans doute avait-elle inventé quelque chose de très convaincant, ou bien leurs rapports étaient-ils aussi distendus que ceux de Myriam et moi. Je ne sais pas. Toujours est-il que nous passâmes quatre jours ensemble, pendant lesquels elle échangea avec lui quelques coups de fil sans conséquence.

Ce furent quatre jours idylliques. Dans la journée, nous allions marcher dans la forêt, le long du lac ou vers le glacier. Le soir il faisait frais. Le lac avait des reflets roses. Tout était paisible et beau. Nous étions bien. Nous baisions comme des fous. Le corps de cette femme me possédait totalement. Il lui suffisait de me regarder d'une certaine manière, un peu par en dessous, pour me donner envie de lui sauter dessus, lui déchirer les vêtements, la mordre, la lécher, l'embrasser, la pénétrer. Pendant ces quelques jours je ne ressentis plus aucune espèce de paralysie, de blocage ou de frissons. Je ne rêvai plus de serpents et de fuites éperdues. J'oubliai la boucle

---

Wursburg, savoir :
Wursburg, Muesenheim, Kreushnacht, Hallersachem, fin de la Principauté de Wursburg pour entrer dans la Principauté de Kosbourg.

temporelle. Je me disais que c'était un peu ridicule : il suffisait donc de passer quelques jours à la montagne pour régler tout cela ? Il y avait là-dedans un aspect bucolique, si ce n'est mièvre, qui m'agaçait un peu. Mais les faits étaient là.

Le dernier jour en fin d'après-midi, pendant que Mina était descendue au village chercher quelques bouteilles pour la soirée, je me remis même à écrire. Ce n'était pas grand-chose : un très court texte (deux pages tout au plus), que j'intitulai « L'assassin », et qui se terminait ainsi : « *Comme elle était belle, ma douce, ma renarde, ma sorcière, mon antre. Même morte elle était belle, et ses yeux me fixent toutes les nuits sans parvenir à me dire ce que je sais qu'ils savent, et que je redoute.* »

Mina revint. Ce fut notre dernière soirée ensemble.

Kosbourg, savoir :
Kosbourg, Kebtedorf, Hamberg, Glubtzen, fin de la Principauté de Kosbourg pour entrer dans le pays de Bade.
Pays de Bade, savoir :
Touragauschz, Hanneberg, Mannheim, passage du Rhin, Neugtacht.

Fin de tous les pays étrangers pour entrer dans notre belle France.

Landau, première ville de France.

Mina devait repartir le lendemain. Je redoutais plus que tout de me retrouver seul. La parenthèse enchantée se refermerait, et à nouveau mes angoisses m'assiégeraient. Je repensai alors à l'affolante sensation, entre terreur animale et incrédulité, que j'avais éprouvée quelques semaines auparavant en me voyant moi-même en train de me poursuivre – expérience que j'avais rangée dans l'angle mort de ma mémoire, là où l'on range les souvenirs encombrants, étranges et inexplicables, à oublier si possible. J'espérais simplement que je n'allais pas, comme Musset, m'apercevoir moi-même quelque part en forêt et tenter de me tuer. Je pensais à cela sans y croire vraiment, avec un sourire intérieur, mais j'y pensais tout de même. Je repensai aussi à mes paralysies dont, en revanche, je redoutais qu'elles reviennent une fois Mina partie, à mes rêves d'animaux étranges qui m'assailliraient peut-être encore, à ce que m'avait dit le Bouriate chaman, aux relations souterraines et obscures entre le renard que j'étais dans ces rêves et Mina que j'affublais en moi-même du surnom de renarde, entre le serpent qu'avait tué son mari et tous les serpents de mes rêves, tout cela se mélangeait, je ne comprenais pas grand-chose, et peut-être d'ailleurs n'y avait-il rien

89

à comprendre. Ce que je ressentais, ou croyais ressentir, c'est qu'il y avait entre Mina et moi un lien qui n'était pas uniquement sexuel, bien que je ne sache pas lequel. Et ce que je savais, c'est que je voulais la garder encore quelques jours avec moi.

« Trouver votre visage d'avant », m'avait dit Djordjé. « Mon visage en miroir. » « À l'envers du monde. » Et détruire le serpent, ou le perdre. Rien que ça. Je tournais et retournais ces mots dans ma tête. Qu'est-ce que cela voulait dire ? Mon visage d'avant était-il celui du renard que j'étais, copulant avec la renarde Mina ? Le serpent, était-ce son mari ? Le détruisais-je en couchant avec sa femme ? Pauvre gars. Non, c'était ridicule.

Je me disais que, si j'avais été un personnage de fiction, j'aurais assassiné Mina, ne serait-ce que pour correspondre au petit texte que j'avais écrit. L'idée, cela dit, devait bien être enfouie quelque part en moi pour avoir surgi maintenant, et dans ces termes-là. Oui, me disais-je, si j'étais un personnage de fiction, je l'aurais tuée lors de notre dernière nuit d'amour torride à l'ombre des grands arbres, sous les regards avides de bêtes invisibles. Je l'aurais étranglée à force de désir et de jouissance, la possédant ainsi entièrement, tant dans la vie que dans la mort, en une apothéose de plaisir et de cris – les cris d'excitation des bêtes sauvages que nous ne verrions pas mais qui nous observeraient, les cris de plaisir qu'elle pousserait cabrée tout contre moi, ceux que je refrénerais sans y parvenir jamais, ceux enfin de son agonie tandis que mes doigts serreraient sa petite gorge de renarde.

Mais non. Je ne cherchai même pas à retenir Mina. L'aurais-je fait que cela n'aurait probablement servi à rien : elle devait rentrer le lendemain matin, pour arriver avant le retour de son mari.

Vers le milieu de la nuit, de la dernière nuit, nous sommes sortis marcher aux bords du lac. La lune était pleine, le froid piquait. Au fur et à mesure de notre avancée sur le sentier nous entendions du bruit dans les arbres, comme des froissements de tout petits papiers. Une légère brise sans doute, mais en hauteur uniquement, car au sol nous ne sentions rien. Nous marchions en silence, attentifs aux bruits diffus de la nuit, les remuements dans les fourrés, les pas d'animaux invisibles, les frôlements secrets, multiples présences peut-être imaginées mais qui emplissaient le profond de cette nuit liquide et mouvante que nous savions être la dernière. Sur quoi ouvrirait-elle, je n'en savais rien. Un retour à la maison pour retrouver Myriam et les enfants, Lorna à l'hôtel et Mina de l'autre côté de la haie, avec le collège à la fin des vacances ? Je n'en avais nulle envie pour l'instant. Rester ici ? Sans Mina je n'en avais pas très envie non plus. Partir ailleurs, devenir un de ces milliers de disparus volontaires annuels qui décident de tout plaquer et tout recommencer ? Je n'en savais rien.

Nous avancions le long du lac. Le sentier s'incurvait sur la gauche, traversant la forêt pour rejoindre la rive quelques centaines de mètres plus loin. À cet endroit, l'ombre des grands arbres dissimulait la lune, et nous n'y voyions plus grand-chose. Nous avancions dans le secret.

Soudain Mina s'arrêta net.

– Écoute, chuchota-t-elle.

J'écoutai, mais n'entendis rien que divers bruissements dans les arbres et dans les fourrés.

Elle me regarda, excitée comme une petite fille.

– Tu entends ? fit-elle.

– Non.

– Ça gémit.

Je retins ma respiration, levai la main en un geste intimant inutilement le silence à Mina qui ne disait rien, et entendis effectivement des petits cris, plus loin sur la gauche. Trois cris rauques, suivis de gémissements.

– Qu'est-ce que c'est ? chuchota Mina.

– Aucune idée, fis-je sur le même ton. Une bête, sans doute.

Elle sautilla sur place, tendue d'excitation.

– Tu crois ? souffla-t-elle. Allons voir, alors.

Je n'eus pas le temps de répondre. Elle serra davantage ma main dans la sienne, et m'entraîna vers l'endroit d'où semblaient provenir les gémissements. Nous avancions lentement, faisions attention à ne faire aucun bruit. Heureusement le sol était meuble, et les brindilles ne craquaient pas sous nos pieds. Nous nous enfoncions à travers les arbres noirs, avec la puissante sensation de pénétrer un autre monde, à la fois immémorial, exaltant et écrasant, dans lequel les mouvements de l'esprit se mêlaient parfois à d'obscures racines, lourdes de souvenirs oubliés, de sauvagerie primordiale. Les gémissements alternaient avec de petits cris rauques, presque des aboiements, et parfois un hurlement déchirant qui nous paralysait de peur. Nous demeurions alors immobiles, le souffle court. Mais tout de suite après nous continuions d'avancer. Nous étions comme deux enfants sur le chemin d'un trésor, inconscients des dangers qui menaçaient. L'odeur de la nuit était puissante et charnue, chargée de sève. J'étais comme assommé de désir. Je ne pensais qu'à saisir Mina par la taille et la basculer sauvagement, là, sur le parterre de mousse, nos deux corps emmêlés haletant à l'unisson des cris de ces animaux que nous ne voyions pas.

– Nous sommes tout près, a dit Mina en ralentissant le pas.

Et nous nous sommes arrêtés. Le silence alors nous enveloppa comme un linceul.

Devant nous, derrière un rideau de branchages que nous n'avions pas même besoin d'écarter tant ils étaient peu feuillus, une clairière était baignée de lune. Presque au milieu, deux formes brunes couraient en tous sens, l'une à la poursuite de l'autre. Elles s'arrêtaient parfois, l'une des deux bêtes poussait le petit cri rauque, toutes deux faisaient mine de s'occuper d'autre chose, puis brusquement se couraient après à nouveau. Nous observions fascinés ce ballet qui se répétait depuis la nuit des temps, comme si nous nous trouvions face à l'image enfin révélée d'une part de nous-mêmes que depuis toujours nous avions oubliée.

Au bout d'un moment l'une des deux bêtes soudain poussa un gémissement aigu et s'arrêta. Je ne fus pas particulièrement surpris de constater qu'il s'agissait de deux renards. Le mâle grimpa sur la femelle, qui gémit à nouveau, et se laissa pénétrer. Mina et moi demeurions là, immobiles et muets, à observer dans la pâle lumière de lune ces deux animaux se livrer à leur rite copulatoire, avec l'ombre solennelle des grands arbres tout autour et le lac au loin, qu'on apercevait sur la droite, à travers une trouée de branchages.

Je tremblais. Mina aussi. Je ne sais pas de quoi nous tremblions.

Nous nous sommes regardés, haletants. Nous sommes serrés plus fort l'un contre l'autre, à ne former qu'un corps.

Nous continuions à trembler, de plus en plus violemment. J'avais les larmes aux yeux.

J'ai saisi Mina par la taille. Je l'ai collée devant moi, dos contre poitrine, ses fesses contre mon sexe durci, et l'ai maintenue ainsi en laissant mon autre main monter lentement vers sa gorge. Un grand frisson a parcouru son corps. Elle a penché la tête vers l'arrière et plongé ses yeux dans les miens. Ils étaient magnifiques, immenses et embués, comme pour une supplique muette.

Paul

25 janvier

– J'ai failli la tuer, m'a soudain dit mon oncle Vincent après m'avoir raconté son histoire, me dit Rosario vingt ans plus tard, dès que j'eus laissé tomber le dernier feuillet. J'ai failli la tuer, et c'est pour cela que je suis parti. Je ne savais plus qui j'étais. Je devenais aliéné, étranger à moi et aux autres. Cela il ne l'a pas écrit, continua-t-il, c'est lui qui me l'a dit à Buenos Aires il y a vingt ans, lorsqu'il m'a raconté, beaucoup plus brièvement que dans ce texte, et avec infiniment moins de détails bien sûr, ce qui s'était produit dans les semaines qui avaient précédé son départ.

J'acquiesçai, mais quelque chose m'échappait. Je trouvais assez bizarre que le fait d'avoir failli tuer quelqu'un puisse suffire à s'exiler loin du monde pendant vingt ans. Au fond de moi en vérité je me demandais si Vincent n'avait pas réellement tué Mina, et fui ensuite le pays. Mais je n'osais pas faire part de mes doutes à Rosario.

Trois quarts d'heure plus tôt, avant de commencer la lecture du tapuscrit, il m'avait rappelé qui était cet oncle Vincent, dont je me souvenais qu'il m'en avait en effet déjà parlé à quelques reprises, mais sans

97

entrer dans les détails, de la manière un peu distante et amusée dont on évoque un personnage fameux comme peut l'être un oncle qui décide un jour de tout plaquer et se perd dans la nature. Il s'agissait donc du frère de sa mère, Vincent Lacépède, qui avait disparu voici une vingtaine d'années quelque part en Argentine ou au Chili, on ne savait pas très bien – au Chili apparemment, vu la mention de Punta Arenas sur l'enveloppe – après avoir quitté la France, être passé voir sa sœur à Buenos Aires, et dit à chacun, sa sœur Mathilde, son beau-frère Isidorio, et même ses neveux Rosario et Georges (sans *jota* et avec un s, avait plaisanté Isidorio à sa naissance, à la française !), qu'il s'apprêtait à « quitter le monde » pour un temps. D'ailleurs il avait déjà quitté la France, sa femme et ses enfants sans donner d'indication à quiconque, juste une lettre d'adieu et peut-être, supposait-on, d'excuses.

À Buenos Aires il avait auprès de sa sœur et de son beau-frère prétexté une grave crise existentielle, une de ces fameuses « mises au point » qui abondent dans les récits psychologiques et les conseils de bistrot, et personne n'avait osé lui en demander davantage – à moins qu'on l'ait fait, dit Rosario qui ne s'en souvenait pas avec précision, mais dans ce cas il n'avait pas répondu précisément, ou avait éludé, prétextant un trouble profond. Cependant il avait un peu plus parlé avec Rosario, qui avait toujours été son neveu préféré, celui avec qui s'étaient nouées, en France, avant le retour en Argentine de la famille Traunberg, à l'époque donc où Rosario avait une vingtaine d'années, d'étranges complicités liées aux femmes, à l'alcool, à la littérature et au football, et aussi à un humour commun, fait d'autodérision et de goût pour l'absurde – l'oncle Vincent, ainsi que l'appelait Rosario sachant que celui-ci ne raffolait pas de l'expression, jugeant qu'elle le vieillissait, n'entretenait pas la même relation de complicité avec son autre neveu, Georges, beaucoup plus secret et distant. À Rosario Vincent avait raconté son histoire avec davantage de détails, mais aussi peut-être de mensonges et d'approximations, puisque, avait-il déjà dit tandis qu'il indiquait à Rosario les raisons de sa fuite, tout comme il le lui écrirait vingt ans plus tard dans sa lettre d'accompagnement, dès lors qu'on entreprend de raconter les événements passés, on les déforme.

– J'ai failli la tuer, m'avait donc avoué mon oncle Vincent après m'avoir raconté son histoire, me dit Rosario assis sur mon canapé vert vingt ans plus tard, et j'étais jeune alors, j'avais du mal à combler les non-dits, je ne comprenais pas bien, voulais plus de précisions, parlait-il de sa femme Myriam, cette tante que je connaissais si peu, nous n'avions jamais été très famille dans la famille, de sa maîtresse russe à demi bouriate, ou de sa voisine-renarde, je me souviens qu'à ce terme il avait vaguement souri d'un air triste et hoché la tête en signe d'approbation, et c'est peu de temps après qu'il avait fui, abandonnant femme et enfants, ces cousin et cousine qui vivaient en région parisienne et que je ne connaissais pratiquement pas, et s'était un jour pointé chez mes parents, à Adrogué, banlieue de Buenos Aires, dans cette propriété entourée d'un mur rose où Georges et moi avions grandi, y avait passé quelques jours avec ma mère avant de partir, pour ne jamais revenir ni donner signe de vie. Je me souviens aussi que tandis qu'il me racontait son histoire, continua Rosario, il faisait tourner entre ses doigts une médaille de cuivre qui nous appartenait, à Georges et moi, cadeau d'un médecin ami de nos parents nommé Esteban, et que ma mère exposait sur un guéridon, une médaille de trois ou quatre centimètres représentant Napoléon au recto et la Vénus de Médicis au verso, et que, lorsque mon oncle Vincent eut disparu de nos vies, la médaille elle aussi disparut. J'ai toujours pensé qu'il l'avait subtilisée, et je me dis aujourd'hui que s'il l'a fait, c'est qu'elle lui évoquait peut-être celle dont parle à une ou deux reprises le soldat Folcher dans ses souvenirs de détention en Russie – dont bien entendu j'ignorais tout à l'époque.

Je me levai : la bouteille était aussi vide que nos verres.

– C'est étrange d'ailleurs, dis-je. Pourquoi avoir inséré cette histoire dans son récit ?

Rosario haussa les épaules.

– Il dit qu'elle l'a touché. La souffrance, l'errance, l'éloignement de soi… Va savoir. Il est peut-être un peu fêlé, aussi.

– Hm. Ce texte ne me semble pas écrit par quelqu'un de fêlé.

Je me rassis, posai la nouvelle bouteille sur la table, étiquette vers Rosario : « Jura 1992, aged 18 years, Rare Auld series, Duncan Taylor Distillery ». J'attendais sa réaction. Elle ne tarda pas : il saisit la bouteille, lut et écarquilla les yeux.

– Putain ! Tu connais le prix de ce machin ?

– 140 euros : j'ai cherché sur Internet. J'en ai trois bouteilles : cadeau d'un éditeur qui ne pouvait pas me payer l'intégralité de mes droits. Je me suis fait avoir, mais c'est tout de même mieux qu'un chèque équivalent, non ?

Il sourit.

– *Quiero, mi socio.*

– Quant à son expérience, continuai-je, il faudrait que je retrouve ça, mais cela me rappelle des cas de possession que j'ai lus ici ou là.

Il me lança un regard incrédule, par en dessous, comme s'il portait des lunettes de presbyte.

– Tu t'intéresses à ce genre de choses ? Toi ?

– Oui, enfin, comme ça. J'ai traduit un jour un passage du *Baopuzi*, de Ge Hong, un taoïste du IVe siècle, où il est parfois question d'histoires de possession – mais c'est plutôt dans un sens extatique, moins sombre en tout cas que ce que raconte ton oncle. Et puis j'ai aussi lu quelques études et récits plus récents. Il me semble que quelques-uns des symptômes qu'il décrit dans son texte correspondent à peu près à certains cas de possession démoniaque pour l'Église catholique, ou de rituel cynégétique dans la société prémédiévale européenne, ou dans les traditions chamaniques : transe, échauffement, appétit décuplé, énergie sexuelle. Enfin, je ne sais plus très bien. Il faut que je vérifie. Tu avais assisté à un truc comme ça lorsque tu étais en Mongolie, non ?

Rosario hocha la tête en me montrant son verre vide.

– Oui, une sorte de transe d'une grosse apprentie chamane. Ça n'était pas un fake. C'était très étonnant à voir. Allez, sers un coup…

– Bizarre tout de même, continuai-je pensif, cela semble assez construit, non ?… On dirait davantage un texte à indices qu'un rapport de faits réels.

Je nous servis.

– Et puis, à la fin de sa lettre manuscrite, « c'est un signe que je t'envoie, tu sauras le lire »… Un signe de quoi ? Pas de vie, ce serait trop simple, ou trop évident : pourquoi le préciser ? Et pourquoi « tu sauras le lire » ? Que t'avait-il dit, au juste, il y a vingt ans ?

— Rien d'aussi détaillé. Un mal-être profond, la lassitude de tout, sa liaison avec une voisine, les quelques jours passés avec elle à la montagne, une sorte de folie qui le saisissait parfois, le fait qu'il avait failli la tuer, et surtout l'épuisement global et le désir de fuir tout cela. C'est à peu près tout. Ensuite il a disparu un beau matin, sans prévenir.

Nous bûmes en silence.

— Oh putain… murmura Rosario les yeux fermés.

J'acquiesçai en silence, puis reposai mon verre en prenant soin de ne pas faire claquer ma langue : on m'avait toujours dit que ça faisait plouc.

— Il tombe bien, dis-je.

— Qu'est-ce qui tombe bien ?

— Ce whisky.

— Ah oui, je confirme.

— Non, je veux dire qu'il tombe bien par rapport à l'histoire de ton oncle…

Nouveau regard interrogateur de Rosario.

— Sa disparition, son retrait du monde… Le whisky est un Jura, et je suis en train de réaliser que c'est sur cette île de Jura qu'Orwell s'est retiré, en 46 je crois. Il vivait seul, lui aussi, dans une baraque face à l'océan. Il menait une vie résolument agricole et rurale. Il s'occupait de son potager, cultivait toutes sortes de légumes, plantait des arbres fruitiers, faisait les foins, coupait du bois, nourrissait ses poules, chassait, pêchait. Il y a aussi écrit *1984*. Bon, lui n'avait pas disparu, on savait où il était, et puis un an après il a fait venir sa sœur et son fils de trois ans, mais enfin, il avait décidé de s'éloigner du monde, d'aller vivre à l'écart. Comme ton oncle.

– J'ignorais, dit Rosario en tendant son verre. Du coup, ton whisky n'en est que meilleur. Ressers-moi donc un peu.

J'obtempérai.

– Bon, dis-je. Et la suite ?

– La suite ?

– Oui, la suite : le coup de fil de ta mère. Et surtout la raison pour laquelle tu me racontes tout ça.

Rosario

5 février

Paul sortit de sa sacoche un carnet, un stylo, un manuscrit, un ordinateur, et posa tant bien que mal le tout sur la tablette devant lui, empilant le carnet sur l'ordinateur sur le manuscrit. Du coin de l'œil je vis qu'il s'agissait du roman de Chen Wanglin qu'il était en train de traduire. Je regardais quant à moi un épisode de *Friends* en grignotant des cacahuètes et sirotant un whisky.

– Je peux te garantir que ce n'est pas un Jura 92, avais-je dit en grimaçant à la première gorgée.

L'hôtesse n'avait de toute façon pas compris le nom lorsque je lui avais demandé si elle en avait – il s'agissait évidemment d'une pure question rhétorique, car je savais bien que pas plus sur LAN que sur Iberia on ne proposait aux voyageurs des whiskies à 140 euros la bouteille.

– Du Zat 77 alors ? avais-je insisté.

Là non plus l'hôtesse n'avait pas compris, et pour cause, puisque ce whisky-là n'existait que dans les aventures de Bob Morane, que Paul et moi lisions lorsque nous étions jeunes : il s'agissait de la marque préférée du comparse de Morane, Bill Ballantine, géant écossais et roux, qui portait lui-même un nom de whisky.

Paul m'avait ensuite fait remarquer que si, en dépit de ma chevelure résolument non rousse, de ma faible, voire inexistante, ascendance écossaise, et des vingt centimètres qui me manquaient, je m'identifiais ainsi à Bill Ballantine, cela signifiait donc que, par ricochet, je l'associais peut-être un peu à Bob Morane, et il trouvait cela plutôt flatteur. Je lui avais conseillé de ne pas trop rêver.

– Ce que vous avez, alors, avais-je dit à l'hôtesse, qui m'avait servi une mixture vaguement dorée dans un gobelet en plastique, association qui avait provoqué chez Paul une grimace de dégoût : déjà, avait-il expliqué, boire du whisky, ou quoi que ce soit d'autre que de l'eau, dans un gobelet en plastique, lui semblait inconcevable, mais si en plus c'était un de ces whiskies dégueulasses dont le goût fade et terreux parvenait même à surnager en cas de mariage avec du coca ou du jus d'orange, il estimait qu'il s'agissait d'une forme de sadisme, ou de torture déguisée.

– Foutaises, lui avais-je répondu. Là c'est ta moitié chinoise qui parle. Depuis des millénaires vous êtes des spécialistes en matière de supplices, c'est pourquoi vous en voyez partout. C'est dans tes chromosomes, vieux, tu n'y peux rien.

Il m'avait rétorqué que, question tortures, sa moitié chinoise plurimillénaire n'avait pas grand-chose à apprendre à ma moitié argentine plus récente, et que par surcroît, vu ma capacité étonnante à pouvoir, en toutes circonstances, boire n'importe quoi dans n'importe quoi, mon opinion sur ce sujet n'était pas recevable – et ainsi le débat avait été clos. Il n'avait pas tort.

Deux semaines s'étaient écoulées depuis que je m'étais pointé chez lui, avais sifflé la moitié de son

Jura à 140 euros, lui avais fait lire le texte de mon oncle Vincent, et l'avais persuadé de se rendre avec moi au Chili, d'abord à Valparaíso pour rendre visite à ma mère qu'il n'avait plus vue depuis une bonne vingtaine d'années, ensuite dans le sud du pays, du côté de Punta Arenas et Puerto Natales, où je lui proposais de partir avec moi à la recherche de Vincent.

Il avait accepté tout de suite ou presque. J'en avais été étonné. L'idée pourtant semblait hasardeuse, et les chances de succès très aléatoires. Sans doute était-il plus affecté qu'il ne le laissait paraître par sa séparation avec Yuyan, et éprouvait-il le besoin de prendre un peu le large.

Ma mère avait été avertie par la municipalité de Rio Verde, au nord de Punta Arenas, que son frère habitait dans la région depuis une vingtaine d'années, qu'il était éleveur et possesseur d'une quinzaine de têtes de bétail, et qu'il commerçait régulièrement avec les gens du coin. Il vivait seul et loin de tout, quelque part au milieu de l'incroyable dentelle d'îlots, fjords, glaciers et péninsules qui s'étire entre la péninsule Muñoz Gameiron, l'île Riesco et la péninsule Brunswick. Il venait à Rio Verde deux fois par mois environ, en barque à moteur, pour échanger laine et viande contre diverses denrées. Les gens le connaissaient bien, l'appréciaient, l'appelaient Vicente, ou « l'ermite », ou « le Français ». Depuis deux mois cependant personne ne l'avait plus vu. Le problème était que nul ne savait avec exactitude où il habitait. Certains avaient cru comprendre qu'il possédait une cabane vers l'ouest de l'île Riesco, du côté de la réserve des Alakalufs, qu'ils désignaient d'un geste vague de la main. Diverses expéditions en bateau avaient donc été lancées dans cette direction, mais sans succès : crique après crique, fjord après fjord, après avoir remonté en vain plusieurs cours d'eau, on n'avait rien trouvé. Un jour toutefois on décida d'explorer sommairement les îles situées dans la multitude de petits fjords entre la péninsule Brunswick et l'île Riesco. Et c'est sur l'une d'entre elles, nommée comme des dizaines d'autres de la région « Isla Larga », dénomination que sa taille venait pourtant démentir, qu'on trouva, invisible depuis la plage, au-dessus d'une anse d'où la vue portait loin vers les montagnes enneigées qui donnaient l'impression de fermer la mer d'Otway comme un puissant verrou, une baraque sommaire, quoique munie d'une cheminée, d'un panneau solaire et de vitres en verre, et des enclos à moutons ouverts et vides. La cabane était manifestement abandonnée. À l'intérieur, de multiples indices laissaient supposer qu'il s'agissait bien de l'endroit où vivait Vicente, l'ermite français. On avait notamment trouvé un carnet avec quelques notes et une adresse, celle de ma mère à Valparaíso. Vincent avait pris la peine d'écrire en face de son nom « mi hermana », comme s'il ne voulait pas laisser le moindre doute à ceux qui découvriraient sa cabane. Comme s'il voulait qu'elle fût prévenue de sa deuxième disparition, lui qui n'avait pendant vingt ans révélé à personne où il s'était exilé lors de sa première. C'est ainsi qu'on avait écrit à ma mère, lui disant que tout, c'est-à-dire presque rien, était à sa disposition, et qu'elle n'avait qu'à venir récupérer, si elle le souhaitait, les quelques affaires de son frère. Elle m'avait prévenu et m'avait demandé si je pouvais me rendre chez elle à Valparaíso, puis dans le sud du pays pour tenter de retrouver ce frère dont elle venait, après vingt ans de silence, de recevoir

110

ces nouvelles indirectes, qu'elle me lut au téléphone. À son âge, disait-elle, elle ne se sentait pas capable d'entreprendre un tel voyage. Elle n'avait pas averti les enfants de Vincent, qui avaient depuis longtemps tiré un trait définitif sur leur père, ni son autre neveu, mon frère Georges, qui d'ailleurs se trouvait à ce moment-là en Écosse pour rassembler des textes du poète Norwich Restinghale dont il préparait la parution d'un recueil inédit, et qui de plus n'avait jamais entretenu la même relation de complicité affective que celle qui nous unissait, mon oncle Vincent et moi.

Presque au même moment où ma mère me téléphonait pour me mettre au courant, une grosse enveloppe contenant le récit de Vincent et postée à Punta Arenas atterrissait dans ma boîte aux lettres, dans le sixième arrondissement de Marseille.

Paul

5 février

J'ai toujours été une sorte de geek – bien plus que Rosario, en tout cas. Lors d'un dîner, pour peu que quelqu'un ait oublié le nom d'un acteur ou le titre d'une chanson, je plonge instantanément sur mon smartphone et googlise à tout-va – cela faisait d'ailleurs partie des choses qui agaçaient Yuyan. Chez moi, je suis le plus souvent assis derrière mon ordinateur et passe mon temps, entre deux pages de traduction, à prétexter la nécessité de souffler et me laver les yeux et les neurones pour surfer de site en site avant de revenir à la traduction, la quitter à nouveau, et ainsi de suite selon une mécanique bien huilée d'allers-retours incessants, tout cela pendant la majeure partie de la journée. Bref, je connais mieux mon Asus X53 que mes voisins. Rosario, lui, à ce que je sais, n'a de son ordinateur qu'un usage très modéré : il lit ses mails et visite parfois un ou deux sites d'info, voilà tout (mais il m'a tout de même dit un jour qu'il aurait aimé être un professionnel de l'informatique, afin de pouvoir reprogrammer sa mère).

Quelques jours après avoir lu le texte de son oncle Vincent, j'étais allé chercher sur Internet les traces de sa disparition, chose qu'il m'avait dit ensuite n'avoir jamais pensé à faire, et j'avais vite trouvé sa fiche signalétique sur un site spécialisé : sous sa photo (un type assez beau, solide, cheveux châtains ras, menton carré, yeux clairs, photomaton couleur un peu flou) étaient indiqués son nom, sa date de naissance, sa taille, la couleur de ses yeux, ses signes particuliers (« dépressif »), la date de sa disparition (pour le lieu, rien n'était indiqué, juste son adresse postale à l'époque), le numéro de téléphone de sa femme, et celui de la gendarmerie locale.

Poussé par une curiosité malsaine, si ce n'est morbide, j'avais aussi tapé uniquement le prénom de Mina, puisque j'ignorais son nom, me disant que si je la trouvais aussi, cela pourrait signifier qu'il n'avait pas *failli* la tuer, ainsi qu'il l'avait dit à Rosario à l'époque, mais qu'il l'avait vraiment fait, et jamais avoué. En somme, je me prenais pour un flic de série télévisée. Mais, à mon grand soulagement, aucune Mina ne s'était affichée à l'écran.

Dans l'avion pour Santiago, j'avais raconté ça à Rosario, qui avait souri en haussant les épaules. Tout en plaisantant sur ces délirantes investigations, j'avais ajouté qu'à notre retour, nous pourrions tout de même essayer de savoir si personne dans le quartier où vivait Vincent n'avait disparu à la même époque.

– Pas la peine, avait-il répondu. Ça, je le sais.

J'étais estomaqué.

– Quoi ?

– Je sais qu'une de ses voisines a disparu une quinzaine de jours avant lui. Myriam l'avait dit à ma mère lorsqu'elle avait appris que Vincent était passé par chez nous à Buenos Aires. Nous étions tous stupéfaits de la coïncidence, bien entendu.

– Tu pourrais demander à ta tante qui était exactement cette voisine, avais-je objecté.

– Difficile : elle est morte il y a cinq ans... Mais enfin, elle nous avait dit juste après qu'un voisin avait lui aussi disparu six mois plus tôt. Vincent était le troisième du quartier en un an. Tu sais combien de personnes disparaissent en France chaque année ?

J'avais fait non de la tête.

– Plus de quarante mille. Ce sont les chiffres officiels du ministère de l'Intérieur. Environ trente mille sont retrouvées. Plus de dix mille de ces disparitions ne sont jamais élucidées. Il doit y avoir des suicides et des meurtres, bien entendu, mais aussi beaucoup de disparus volontaires comme mon oncle : trois ou quatre mille par an, selon les dernières estimations. Des gens qui fuient, tout simplement, et décident de tout laisser tomber et d'aller vivre une autre vie ailleurs.

Après un silence il avait poursuivi, un ton plus bas :

– À une époque j'avais voulu me renseigner aussi pour l'Argentine. Mais j'ai vite abandonné : les disparitions, là-bas, ça a trop longtemps été un sport national. Toutes les statistiques sont faussées. Entre 73 et 84 nous étions en France, mais je sais que pendant cette période plusieurs de nos voisins ont disparu, au moins une demi-douzaine. Je sais surtout que pour eux il ne s'agissait pas de disparitions volontaires.

Je n'avais rien répondu – d'ailleurs, qu'y avait-il à répondre. Je repensais à ma théorie du roman policier, m'y empêtrais avec délices. Je me disais que Vincent avait peut-être modifié les noms dans son texte, qu'en réalité Mina ne s'appelait pas Mina, et que c'était pour cela qu'elle ne figurait nulle part dans les listes de personnes disparues. Qu'il l'avait peut-être assassinée avant de rentrer chez lui et partir en Argentine quelques jours plus tard. Qu'il avait peut-être fait disparaître son corps, qui n'avait jamais été

117

retrouvé. Ou qui ne l'avait été qu'après son départ, et dans ce cas son nom figurait peut-être dans la liste des homicides, pas dans celle des disparitions. Dans tous les cas personne n'aurait jamais fait le lien entre eux puisque leur liaison était secrète, que leur week-end l'était tout autant, qu'ils étaient enregistrés à l'hôtel sous de fausses identités. Là-dessus, j'avais cessé mes élucubrations.

À présent nous survolions l'Amazonie. Je regardais par le hublot et me disais que disparaître dans ce vert sombre et dense devait être très facile. Trop, même. Parfois une rivière tordait ses méandres argentés à perte de vue, mince filet pénétrant le cœur des ténèbres, charriant boue et cadavres, troncs déracinés, barques remplies d'Indiens silencieux et nus. Je me souvenais de mes lectures de livres animaliers lorsque j'étais enfant. J'imaginais des jaguars, des caïmans et des tapirs déambulant paisiblement sur ses rives jusqu'à ce que l'un se jette sur l'autre et le dévore, de gigantesques anacondas la traverser en ondulant lascivement puis se saisir d'un capibara qui leur tiendrait un mois à l'estomac, des paresseux souriant béatement tête en bas sur la branche d'un arbre riverain dont les fleurs sommitales perdaient un à un leurs pétales, qui flottaient ensuite en silence sur les flots vert sombre où de gigantesques silures croisaient sans les voir des bancs de piranhas. La torpeur mortelle de la forêt, sa violence douceâtre, et la belle confiance des paresseux. Les lents et doux paresseux… Je me souvenais : deux ou trois doigts ? Aïs ou unaus ?

Et sur cette passionnante irrésolution, je m'assoupis.

Deuxième partie

Rosario

6 février

Le salon était surchargé de meubles aux couleurs vives, de moches bibelots et d'aquarelles aux murs, essentiellement des fleurs et papillons, toutes signées Mathilde Traunberg. Cette profusion florale et colorée s'accordait à merveille avec celle du jardin, sur lequel ma mère referma la porte dans un tintement de clochettes.

Je me dis une fois de plus qu'elle et moi n'avions décidément pas les mêmes goûts en matière d'esthétique, ni d'aménagement intérieur.

Elle nous proposa du thé ou du café. Je conseillai à Paul de prendre du thé : le café chilien n'existe pas, lui dis-je, au mieux c'est de la lavasse, au pire de la lavasse lyophilisée.

Il ne réagit pas à mes propos, qui se voulaient humoristiques, quoique parfaitement exacts. Paul était parfois ainsi : imperturbable et lisse, visage de cire – un vrai sage chinois. L'inverse de moi, en somme. D'ailleurs les mânes de ses ancêtres taoïstes le guidèrent sans faillir et, empreint de sagesse millénaire, il suivit mon conseil.

Une fois passées les conversations d'usage sur les événements de l'année (en ce qui me concernait) ou des deux dernières décennies (pour Paul), nous en arrivâmes tout naturellement à ce qui motivait notre présence au Chili, à savoir Vincent, mon oncle, le frère de ma mère. Je suis trop vieille à présent, dit-elle, sans quoi je serais partie moi-même sur cette île pour voir cette cabane dont m'ont parlé les autorités de Rio Verde, la cabane où il a vécu pendant tant d'années, et peut-être trouver des indices qui sauraient me dire s'il est mort ou s'il a fui à nouveau – ce qui revient globalement au même, pensai-je en approuvant ses propos d'un signe entendu. Luis Alejandro lui aussi est âgé, continua-t-elle, et il ne se sent pas d'aller si loin, d'autant que la galerie le sollicite beaucoup. Myriam est morte, Victor et Irène ne se sont jamais vraiment préoccupés de savoir ce qui était arrivé à leur père, et je peux les comprendre, hocha-t-elle la tête d'un air contrit, lui non plus ne s'est guère soucié d'eux ; Georges n'était pas très lié avec son oncle, au contraire de toi ; bref, tu es le seul qui pourrait essayer de savoir ce qu'est devenu mon frère, s'il est mort ou vivant, et où il se trouve à présent. C'est bien que tu sois venu avec Polki, continua-t-elle en se tournant vers lui, il vaut mieux être deux pour ce genre d'expédition. Tiens, tiens, Polki, prends des biscuits, c'est très bon avec le thé. Et puis ça vous fera des vacances, n'est-ce pas ? La région est belle, paraît-il. Je n'y suis jamais allée. Que veux-tu, je n'ai pas eu le temps, ni l'occasion.

Les biscuits, en effet, n'étaient pas mauvais. Ma mère nous saoulait de paroles. Je pensai un instant intervenir et lui dire qu'elle avait toujours eu tout le temps qu'elle voulait vu qu'elle n'avait jamais vraiment travaillé, et que si elle ne s'était pas rendue en Patagonie c'était uniquement dû à son désintérêt colossal pour cette région, comme pour tout le reste de la planète d'ailleurs, mais je me tus car elle avait déjà changé de sujet. Elle posait à présent des questions logistiques, quand partions-nous vers Punta Arenas, avions-nous déjà loué la voiture là-bas, etc. Et aussi : comment avais-je persuadé Paul de se joindre à moi ?

– Vous l'avez dit, Mathilde : ça nous fait des vacances. Rosario n'a pas eu besoin de beaucoup insister. Je vis seul depuis peu, mon poisson rouge vient de mourir, j'ai du temps, et suffisamment de côté pour me payer le voyage. Et puis l'idée de découvrir cette région n'a rien de rebutant, je vous assure. De plus l'histoire de votre frère est assez intrigante. Sans compter que cela me donne l'occasion de vous revoir – je dois dire d'ailleurs que vous n'avez pas du tout changé.

Déjà au lycée, Paul maîtrisait parfaitement les connecteurs logiques de l'argumentation : d'abord, de plus, en outre, enfin.

Ma mère sourit et s'arrangea machinalement les cheveux, qu'elle avait teints d'une sorte de blond roux.

– Ah, Polki, toujours charmeur… gloussa-t-elle.

C'est alors que je remarquai dans la petite bibliothèque juste derrière elle un grand livre au dos épais, sans doute en cuir rouge, que je n'avais jamais vu. Je lui demandai ce que c'était.

– Ça ? fit-elle après avoir opéré un rapide mouvement de tête. Oh, ce sont les *Bulletins de la Grande Armée*, tu sais, les chroniques de l'histoire napoléonienne. Enfin, juste un des tomes, bien sûr. Vincent me l'a envoyé l'an dernier. Il était fou de cette période, tu te souviens ?

Paul et moi échangeâmes un regard interloqué.

– Attends un peu... Tu dis que Vincent t'a envoyé cet énorme bouquin depuis sa cabane paumée en Patagonie ? *L'an dernier ?*

– Eh bien... oui, il devait se l'être procuré par le truc, là, *l'Internet* ou je ne sais quoi, et l'avoir transporté jusqu'à chez lui. J'imagine en tout cas qu'il ne l'avait pas emporté depuis la France. Ensuite il a dû le trouver encombrant pour sa petite cabane. Enfin, agita-t-elle les mains, je n'en sais rien. Je l'ai rangé ici et ne me suis pas posé la question. J'étais tellement heureuse, tu penses, de savoir qu'il était vivant après toutes ces années de silence. Mais il envoyait juste le livre : à moi, il n'a donné aucune nouvelle, n'a rien écrit sauf « *Regarde le nom. Besos, Vincent* ».

– « Regarde le nom » ?

– Oui, va voir par toi-même, c'est amusant : le nom de Lacépède est écrit à l'intérieur, mais ce n'est pas Vincent qui l'a écrit. L'encre est violette, elle semble vieille, l'écriture aussi, et il est indiqué « 1849 ». Un ancêtre quelconque sans doute... C'est étrange, parce que je n'ai jamais vu ce livre dans la famille. Enfin, bon...

Ma mère disait souvent « Enfin, bon », qu'elle accompagnait d'un petit geste de la main, comme pour chasser une mouche. C'était une des mille et une manières dont elle disposait pour indiquer que cela n'était pas très grave, ou qu'elle s'en foutait. Pour elle, d'ailleurs, rien n'était jamais très grave et elle se foutait de tout.

Je me levai pour vérifier. Effectivement, l'écriture du nom pouvait correspondre à la date indiquée. En tout cas, c'était ancien. Je notai que le livre regroupait les bulletins relatifs à la fin de l'année 1812 – la retraite de Russie.

– Ah, il y avait indiqué une adresse poste restante à Puerto Natales, continua ma mère. Je lui ai écrit deux fois ensuite, il n'a jamais répondu. Je lui donnais des nouvelles de toi, de Georges, de ses enfants. De moi aussi, évidemment.

Je me rassis, un peu abasourdi.

– Mais enfin, maman... pourquoi ne m'en as-tu jamais parlé ? Tu m'as toujours dit qu'il n'avait donné aucun signe de vie depuis vingt ans !

– Oui, oui (et je reconnaissais ce « oui, oui », proche parent de l'« enfin, bon », une autre des mille et une manières d'éluder dont disposait ma mère lorsque la conversation menaçait de la déstabiliser, ou simplement de l'ennuyer), enfin, c'était le cas jusqu'à l'an dernier. Oh, pas même l'an dernier, d'ailleurs, se reprit-elle, il doit y avoir à peine six mois. Enfin, je ne sais plus. Mais tu es vraiment sûr que je ne te l'ai pas dit ? Bizarre... Je croyais. Mais bon, à six mois près, hein, tu avoueras... Et puis que veux-tu, nous nous voyons si rarement, conclut-elle avec un rire un peu forcé.

Je ne répondis rien, ne parlai ni de téléphone, ni de Skype, ni d'e-mails, de toute façon elle n'entendait rien à Internet, ni même de courrier traditionnel avec timbres et enveloppe. Ma mère avait toujours été fantasque, oublieuse, puissamment égoïste et exagérément tête en l'air. Avec l'âge, cela menaçait de ne pas s'arranger. Et puis j'avais bien noté son intonation lorsqu'elle avait dit « *à moi*, il n'a donné aucune nouvelle », sa manière d'appuyer sur le « à moi » : manifestement, elle était jalouse que ce fût à son fils et non à elle que Vincent ait envoyé son tapuscrit, et qu'il y ait joint un petit mot. Surtout, elle était contrariée que je ne lui aie pas apporté ce tapuscrit, me contentant de le lui résumer à grands traits par téléphone le lendemain du jour où je l'avais lu à Paul : je m'étais dit en effet que si Vincent avait voulu que sa sœur le lise, il le lui aurait envoyé aussi.

Le soir nous dînions tous les quatre, ma mère, Luis Alejandro, Paul et moi, sur une petite terrasse du Paseo Atkinson. Au-dessous de nous le port grouillait de mouvements obscurs et bruyants. Les porte-conteneurs étaient immobiles, barques et canots se faufilaient entre eux comme des souris entre de gros chats endormis, les chalutiers dansaient doucement au gré des vagues, le trafic automobile de la ville basse grondait en sourdine, et au-dessus de tout cela les goélands, qui ne semblaient pas s'être rendu compte que la nuit était tombée, peignaient inlassablement l'air chaud de leurs grandes ailes et striaient l'espace de leurs cris. Le vin, un carmenere rouge, était délicieux, Luis Alejandro plutôt bellâtre (avec sa fine moustache et ses cheveux gominés je lui trouvais de faux airs d'Erroll Flynn) mais charmant, ma mère aux anges et un peu fofolle, toujours excessive dans ses démonstrations, et très séductrice avec Polki, qui comme d'habitude était de bonne compagnie.

Je repensais à ces *Bulletins de la Grande Armée*. Cela n'avait aucun sens. C'est vrai, Vincent était passionné d'histoire napoléonienne, c'était pourquoi sans doute il avait farci son texte d'extraits des carnets de ce soldat Folcher fait prisonnier par les Russes juste avant le passage de la Berezina – passionné au point qu'un jour, au début des années quatre-vingt, il m'avait proposé de l'accompagner en Biélorussie soviétique. Nous étions allés à Minsk, puis à Borisov, et jusqu'au village de Studianka, au bord de la Berezina, où quelques stèles commémoraient la bataille et le passage des armées napoléoniennes. Oui, il était féru de tout cela, et c'est pourquoi aussi nous le soupçonnions, Georges et moi, d'avoir subtilisé la médaille que nous avait donnée Esteban, ce médecin ami de mes parents – même si je me disais à présent que c'était surtout parce qu'elle lui rappelait celle dont parlait le soldat Folcher dans ses écrits.

La nuit s'installait doucement. Tout en bas le charivari des barques continuait. Les hurlements des goélands se raréfiaient. Des papillons de nuit se cognaient aux lanternes, tombaient, y retournaient, retombaient, filaient vers les bougies, se brûlaient, grésillaient et mouraient. Un bon résumé de la condition humaine. Dans un jardin voisin un grillon s'était mis à chanter. La conversation, quant à elle, roulait. Luis Alejandro s'étonnait du tapuscrit que m'avait envoyé Vincent, ce beau-frère qu'il ne connaissait pas. Il me demandait de lui préciser certains détails. J'évitai de mentionner la scène finale de Vincent et Mina sous la lune avec trop de précision, désireux d'éviter d'infinies et inévitables supputations sur ce qui s'était réellement passé, chose dont, de tout manière, nous ne savions rien, et d'ailleurs pas même si elle correspondait à une quelconque réalité ou si elle avait été inventée. Je me bornai à parler de quelques jours passés à la montagne avec une maîtresse juste avant, supposais-je, son départ pour Buenos Aires. Lorsque ma mémoire s'embrouillait un peu, Paul venait à ma rescousse. Ma mère pour une fois ne disait rien mais écoutait attentivement. Ce qui étonnait le plus Luis Alejandro, c'étaient les extraits des carnets de Louis Folcher. Je lui avouai que j'étais comme lui, je ne saisissais pas très bien la raison de leur présence au milieu du récit de Vincent, mais peut-être n'y avait-il rien à en déduire : il s'agissait simplement d'une période qu'il connaissait bien, ce journal de captivité l'avait touché, ainsi qu'il me l'avait écrit, il l'avait emporté dans son bout du monde – à moins qu'il le connût par cœur –, et peut-être voyait-il une obscure et souterraine corrélation entre les épreuves qu'avait subies le soldat et la sensation de dépossession de soi, de perte de repères, qui à l'époque lui avait fait quitter le monde : Folcher était allé du pire vers le meilleur, du pays des Barbares, ainsi qu'il qualifiait la Russie, vers la civilisation, en rentrant chez lui après avoir traversé à pied une partie de la Russie européenne, la Pologne et l'Allemagne ; Vincent lui aussi avait tenté d'aller du pire vers le meilleur, mais en opérant le mouvement inverse : en fuyant de chez lui, traversant la moitié de la planète, et décidant de s'exiler loin de la civilisation. Je m'empressai d'ajouter que bien entendu je n'en savais rien, que je me contentais d'échafauder quelques hypothèses, de vagues interprétations qui n'avaient peut-être aucun sens – et puis, conclus-je en souriant, chacun sait que toute interprétation est un délire.

Un peu avant le dessert je demandai à ma mère si elle avait des nouvelles de son ami Esteban.

– Esteban ? répéta-t-elle sans paraître comprendre de qui il s'agissait. Quel Esteban ?

– Tu sais bien, votre ami, le médecin qui nous avait soignés, Georges et moi, lorsque nous avions une dizaine d'années, et qui nous avait donné cette médaille de Napoléon, tu te souviens ?

– Ah oui, s'écria-t-elle, Esteban Hyades ! Oh, changea-t-elle instantanément de visage, il est mort depuis longtemps, le pauvre, ton père était encore vivant. Et oui, je me souviens de cette médaille qu'il vous avait donnée : un jour elle a disparu et on ne l'a plus jamais retrouvée, quel dommage... C'est étrange, non ?

Et dans la seconde qui suivit, elle passa à autre chose. Elle avait toujours été comme ça.

Je ne sais plus pourquoi, dis-je plus tard à Paul dans la petite chambre d'amis que ma mère nous avait aménagée, cet Esteban Hyades, qui nous avait soignés, Georges et moi, d'une hépatite virale due à une sérieuse épidémie de dengue – dont je me souviens d'ailleurs qu'un de nos camarades était mort faute de soins adaptés – avait sorti la médaille de sa poche devant nous, mais sans doute que Georges et moi avions paru très intéressés, peut-être même que, la fièvre aidant et les barrières de la bienséance tombant, nous avions osé demander à Esteban s'il ne pouvait pas nous la donner, toujours est-il qu'il nous l'avait laissée, une médaille authentique mais sans grande valeur je crois, sauf, sans doute, sentimentale, puisqu'il nous avait dit qu'elle avait appartenu à son grand-père français – car il se trouve que cet Esteban était d'ascendance française.

Il nous avait raconté que son grand-père, Augustin Hyades, était originaire de Montpellier : médecin lui aussi, doublé d'un astronome amateur, il avait participé à la fin du XIXe siècle à une expédition en Terre de Feu dont un des buts était d'étudier les mouvements de la planète Vénus. J'avais demandé à mes parents, et un jour à Esteban lui-même, pourquoi partir si loin pour cela, mais personne n'en savait rien. Peut-être le ciel à l'extrémité sud de l'hémisphère sud est-il plus propice qu'ailleurs à ce type d'observations, me répondait-on – toujours est-il que

131

ce médecin montpelliérain, Augustin Hyades, s'était installé un temps avec d'autres scientifiques dans le sud de la Terre de Feu, que tous avaient procédé à leurs recherches et observations diverses (qui en réalité concernaient bien d'autres domaines que les mouvements de Vénus, nous disait Esteban Hyades, avec notamment une étude approfondie des populations indiennes de ces régions), qu'il avait par la suite effectué d'autres missions à caractère ethnologique dans cette même région, et que quelques années plus tard, plus ou moins au tournant du siècle, il était revenu en Argentine, mais à Buenos Aires cette fois, où il s'était installé avec femme et enfants. Esteban avait peu connu son grand-père Augustin : il était mort en 1928, à l'âge de soixante-dix-huit ans, alors qu'Esteban n'avait que huit ans. Il se souvenait d'un homme grand et mince que l'âge avait à peine voûté, un beau vieillard à la barbe blanche coupée ras et aux grands yeux bleus et rieurs, entourés de fines rides qui accentuaient son regard malicieux – un homme toujours de bonne humeur, qui aimait la poésie et récitait des pages entières de Baudelaire, qui aimait aussi raconter à ses petits-enfants des histoires d'Indiens du bout du monde, légendes dont Esteban n'avait d'ailleurs jamais très bien su s'il les avait inventées ou si on les lui avait racontées pendant les quelques séjours qu'il avait faits en Patagonie. Esteban nous avait parlé une ou deux fois, avec beaucoup de tendresse, de ce grand-père dont il conservait le souvenir d'un homme simple et bienveillant, par surcroît très dynamique en dépit de ses presque quatre-vingts ans. En outre, à travers ce qu'il nous en disait, il semblait coller à l'idée que je me faisais du scientifique de l'époque : un homme rigoureux et positif, si ce n'est positiviste, ayant une foi absolue dans le progrès, et persuadé que l'avenir s'ouvrait radieux pour les générations suivantes. Cet optimisme pourtant aurait pu, ou dû, être tempéré par les soubresauts de la Première Guerre mondiale dont, même s'il ne l'avait pas directement vécue puisqu'il était en Argentine pendant ces années-là, il ne pouvait ignorer l'horreur, et les traces indélébiles qu'elle avait laissées dans le cœur, la chair et la mémoire des hommes. Peut-être l'avait-il été, d'ailleurs. Quoi qu'il en soit c'est à lui que la médaille appartenait, nous avait expliqué son petit-fils Esteban, qui en avait hérité. Augustin la tenait quant à lui de son arrière-grand-père, et je me souviens qu'Esteban nous avait dit que pour l'enfant de huit ans qu'il avait été, et même pour l'adulte qu'il était à présent, l'arrière-grand-père de son grand-père restait une notion parfaitement abstraite et désincarnée. Et il nous l'avait laissée. Elle ne devait pas lui plaire, me suis-je dit ensuite, ou alors c'est qu'il était très généreux. Ou les deux à la fois. Ou alors il en avait deux identiques, comment savoir ce qui motive un tel geste, inattendu et spontané. À moins, ai-je pensé plus tard, qu'il l'ait simplement oubliée chez nous après nous l'avoir montrée, et n'ait pas osé la réclamer ensuite. Georges et moi en tout cas avions demandé à notre mère de l'exposer, appuyée à un minichevalet, sur le guéridon de notre chambre à coucher, d'où elle finit probablement par atterrir quelques années plus tard dans la poche de mon oncle Vincent – puisque, ainsi que je te l'ai expliqué, dis-je à Paul, c'est au même moment que les deux ont disparu.

Journal d'Augustin Hyades
(extraits)

Septembre 1882-janvier 1883

18 septembre

Depuis que nous avons quitté l'île Keppel, à quelques brasses des Malouines, la mer est déchaînée. Je suis malade, mais ne le dirai pas à mes coéquipiers : j'ai ma fierté. Mais tonnerre, quel océan ! Je suis sorti sur le pont, me suis laissé inonder d'embruns. L'air était glacial, à couper le souffle. Je ne voyais rien qu'une masse informe et liquide qui de toutes parts m'assiégeait. Mes tempes bourdonnaient. L'eau était forte, grise, métallique. Il semble qu'au fur et à mesure que nous descendons vers le sud, elle s'épaissit, tandis que la terre se rétrécit comme l'ovale d'un œuf.

Puis cela s'est calmé, et *La Romanche*, notre goélette, a vite été suivie de dizaines de petits oiseaux gris et blancs. Je les prenais pour des mouettes, mais Gaspard Queuille, notre expert zoologue, m'a dit qu'il s'agissait de pétrels plongeurs.

Mais surtout (surtout !) nous avons vu quelques-uns de ces « indolents compagnons de voyage » dont parle Baudelaire : les fameux albatros, « rois de l'azur » ! Leur envergure est en effet phénoménale. Je les regardais, fasciné de les voir planer au-dessus de nous, se laissant flotter sur les coussins d'air froid et gris. Heureusement, me suis-je dit, aucun marin n'en a attrapé pour les poser sur le pont et se moquer d'eux en les voyant avancer, « maladroits et honteux », laissant « piteusement leurs grandes ailes blanches/comme des avirons traîner à côté d'eux » !

19 septembre

Mer calme.

Longue lettre à Josèphe, en réponse à celle qui m'attendait sur l'île Keppel : elle me l'avait postée deux semaines avant mon départ. Je ne fus pas peu surpris de la trouver à mon arrivée sur ces terres inhospitalières ! Josèphe passe son temps à me surprendre, en dépit de la vie réglée comme du papier à musique qui est la sienne, entre les cours et les enfants à s'occuper. Dans ma lettre je lui détaille un peu mieux notre expédition, telle que l'a voulue le ministère de la Marine. Je ne lui avais parlé jusqu'ici que de la partie qui me concerne directement, à savoir diverses études (caractéristiques physiques, mœurs, habitats, traditions, etc.) concernant les Indiens. Mais la raison principale de notre présence dans la région est liée à ce programme international chargé d'observer les mouvements de la planète Vénus depuis plusieurs points du globe. En décembre en effet, Vénus va transiter devant le disque solaire, et c'est ainsi qu'il sera possible de l'observer. Nos diverses observations, ainsi que celles réalisées par d'autres équipes en d'autres points du continent américain (portion du globe d'où le transit sera le mieux observable), permettront de définir avec précision la valeur de l'unité astronomique, basée sur la distance Terre-Soleil. Le phénomène se produit rarement : par paires de huit ans, tous les cent vingt ans environ. Le dernier transit a eu lieu il y a huit ans, en 1874 (diverses observations avaient été réalisées en Australie notamment), et le prochain se déroulera en 2004. 2004 !... Impossible de me représenter cette date si lointaine. La fin du monde aura déjà eu lieu, prédisent certains. Je ne crois pas le moins du monde à ces sornettes millénaristes, mais je me demande dans quel état se trouvera le monde à ce moment-là. Quels progrès la science aura-t-elle permis de réaliser ? Vivra-t-on mieux ? Plus vieux ? Les maladies seront-elles vaincues ? Les guerres abolies ? Où seront les petits-enfants de nos petits-enfants ? Qui seront-ils ? Se souviendront-ils de nous ? Ces questions sont vertigineuses, et insolubles.

Mais l'expédition qui nous occupe (dont la part d'inconnu est si importante que je m'éveille parfois la nuit, excité comme un gamin à l'idée des semaines et des mois qui m'attendent) a davantage encore d'ambitions scientifiques. Nous nous rendons en Terre de Feu pour entreprendre diverses mesures et études relatives à l'astronomie, bien sûr, mais aussi à la météorologie, au magnétisme terrestre, à la géologie, à la botanique, à la zoologie et à l'anthropologie, toutes choses qui nous tiendront sans nul doute fort occupés durant tout notre séjour.

20 septembre
Pluie tout le jour.
Le crépitement de la pluie sur la mer.
Vent faible. Douce monotonie. Je lis.

Toutes mes langueurs rêvassent
Que berce l'air monotone. (Verlaine)

De temps en temps d'étranges formes argentées surgissent de l'eau. Des poissons volants ! J'en parle à Queuille, il me dit que c'est impossible : les exocets sont poissons des mers chaudes. J'en conclus que j'ai été l'objet d'hallucinations. Mais non, me dit-il en riant, vous avez sans doute vu des pétrels plongeurs à leur sortie de l'eau. Encore ces oiseaux ! Je les ai confondus avec des mouettes la première fois, avec des poissons la seconde. Et la troisième ?

21 septembre
Nous avons franchi le détroit de Le Maire, entre l'île des États et la pointe extrême de la Terre de Feu. Cette île des États semble constituée entièrement de monts inaccessibles, sans la moindre parcelle de végétation. Les sommets, pour la plupart recouverts de neige, ont des formes étranges et scabreuses, et sont entourés de toutes parts par

de terribles précipices. Jamais de ma vie je n'ai vu d'endroit aussi désolé. C'en était effrayant. Baudelaire a dû séjourner dans la région avant d'écrire :

C'est un pays plus nu que la terre polaire
— Ni bêtes, ni ruisseaux, ni verdure, ni bois !
Or il n'est pas d'horreur au monde qui surpasse
La froide cruauté de ce soleil de glace
Et cette immense nuit semblable au vieux Chaos

Au passage du détroit, là où se rencontrent les 55° sud et 65° ouest, les vents étaient prodigieux. La goélette tanguait à son maximum, d'avant en arrière, puis de droite et de gauche, et ainsi de suite pendant des heures. Nombre d'entre nous étaient malades. Moi aussi, quoique à peine cette fois, mais j'étais surtout terrorisé : j'ai vraiment cru que notre dernière heure était arrivée. Je me maudissais. Quel imbécile je fais de venir mourir si loin ! me suis-je dit à plusieurs reprises. Jamais je n'avais fait l'expérience de vents si puissants. Pris d'un soudain accès de superstition, et n'ayant sous la main aucun signe religieux, j'ai serré comme une relique sacrée la médaille de mon arrière-grand-père. Puis cela s'est un peu calmé et, quoique encore allégrement secoués et ballottés, nous avons continué plein ouest, vers l'île Navarino, que nous longeons à présent par le sud pour entrer dans la baie Nassau.

J'écris à Josèphe.

22 septembre

Nous voici arrivés à destination : la baie Orange, au sud de l'île Hoste, face à l'île Grevy et, plus loin, à l'île Navarino, à quelques kilomètres du faux cap Horn. L'endroit est particulièrement aride et désolé, lavé par des pluies incessantes m'avait-on dit. Mais aujourd'hui, par chance, il ne pleut pas. Et il y a plus d'arbres que je ne l'imaginais, quoique pas immédiatement autour de l'endroit où nous établirons le campement. Le ciel cependant est bas et lourd. La baie est étroite. De faibles collines plus ou moins pelées s'étagent au nord. À l'ouest elles sont un peu plus hautes et recouvertes de forêts. Au loin, vers le nord-ouest, on aperçoit des montagnes massives et pointues, couvertes de glaciers. Tout autour de nous la végétation est maigre : des buissons, quelques arbustes rabougris, beaucoup d'épineux. Des lichens. Mais un peu plus loin, les arbres abondent jusqu'au rivage. Un ruisseau qui descend des collines se trouve bordé de joncs et entouré de quelques marécages. Tout est gris, vert, immense et froid.

Je me demande comment des hommes peuvent survivre dans un environnement si hostile. Trois peuplades pourtant se partagent tout l'archipel situé au sud du détroit de Magellan, dont on m'assure que chacune possède des coutumes et un langage particuliers. Il y a les Onas, qui habitent la Grande Terre de Feu. Ce sont de véritables géants, dit-on. Il est difficile de les voir tant ils sont sauvages. Au demeurant ils s'aventurent très peu près des côtes. Ensuite les Alakalufs, établis dans l'ouest et le nord-ouest. Ils se déplacent en pirogues dans la myriade d'îles et de péninsules qui forment la côte occidentale. Ils sont très craintifs paraît-il. Enfin les Yahgans, du nom que leur a donné un pasteur anglais établi sur la rive nord du canal de Beagle depuis une vingtaine d'années. Auparavant on les appelait Tekeenikas. Ce sont aussi des marins. Ils occupent les îles du sud, jusqu'au cap Horn, donc précisément la région où nous sommes. Mon projet est d'entrer en contact avec eux, les photographier et recenser le maximum d'informations à leur sujet, autant que faire se peut. Pour cela nous avons un de nos hommes, que l'on appelle Jack quoique ce ne soit pas son vrai nom (que j'ignore, mais il est français, il s'appelle donc peut-être Jacques) : il est déjà venu en Terre de Feu, y est resté longtemps (là aussi, j'ignore quand et pourquoi), il connaît les Indiens et parle leur langue. Il a un bras raide, consécutivement à une blessure reçue lorsqu'il était enfant, dit-il.

Dès que nous accostons chacun se met au travail. La priorité est de construire assez vite des baraques d'habitation et des abris pour les télescopes et tous les instruments avec les planches, les tôles ondulées, les fenêtres et les poutres que nous avons transportées sur *La Romanche*.

24 septembre
Le matériel photographique, météorologique et astronomique est à l'abri. Nous aussi.

La météo est déplorable.

Je dispose d'un petit logis en bois de trois mètres sur trois environ, avec une passerelle à l'entrée pour surplomber le bourbier. J'y ai fait entrer le bureau en acajou qui était dans ma cabine. J'y ai disposé du papier, de l'encre, tous les ustensiles nécessaires à la lecture et l'écriture, plusieurs ouvrages scientifiques et quelques livres de littérature, que j'ai lus pour la plupart pendant la traversée : *Les Fleurs du mal* de Baudelaire, *Les Vaines Tendresses* de Sully Prud-homme, *Quatre-Vingt-Treize* de Victor Hugo, *Les Enfants du capitaine Grant* de Jules Verne, *Romances sans paroles* de Paul Verlaine, ainsi que d'autres parus plus récemment (l'an dernier je crois – c'est Josèphe qui m'a préparé cette petite bibliothèque de voyage) : *Bouvard et Pécuchet* de Gustave Flaubert (dont j'avais beaucoup aimé *Salammbô*, mais pas trop *Madame Bovary)*, *Boule de suif* de Maupassant, les *Contes cruels* de Villiers de l'Isle-Adam, et *Les Tribulations d'un Chinois en Chine*, de Verne (cadeau personnel de Josèphe : elle aime beaucoup cet auteur (moi aussi), et a estimé que ce livre était tout indiqué pour quelqu'un qui s'apprêtait à vivre les tribulations d'un Français au bout du monde).

8 octobre

Nous avons pu entrer en contact avec les indi-gènes, qui bien entendu avaient tout de suite repéré notre bateau. Ils viennent chaque jour, par petits groupes, méfiants au début, moins ensuite, notamment grâce à Jack, qui parle leur langue et dont j'ai cru comprendre qu'il a grandi dans la région, après avoir été enlevé, puis élevé, par les Indiens à la suite d'un naufrage qui avait coûté la vie à sa famille.

Je ne suis qu'au début de mes observations, mais elles sont déjà fort nombreuses. Ce soir j'écris à Josèphe pour lui en résumer quelques-unes parmi les moins techniques.

Les Yahgans sont un peuple exclusivement maritime. Ils construisent leurs embarcations avec l'écorce du hêtre bouleau (*fagus betuloides*). Ils sont plutôt petits : la taille moyenne de ceux que j'ai pu examiner se situe autour d'1,56 m pour les hommes, et 1,46 m pour les femmes. Ils sont assez bien constitués, avec des bras puissants. Mais leurs jambes sont grêles en raison du peu d'exercice auquel ils se livrent et de la position qu'ils sont obligés de garder dans leur embarcation. Ils n'ont pas l'habitude de marcher, si bien que lorsqu'ils sont sur la terre ferme, ils semblent gauches et mala-droits — j'avoue que je n'ai pu m'empêcher de penser à l'albatros de Baudelaire... Leurs lèvres épaisses et leur nez un peu aplati les font vaguement res-sembler aux peuplades polynésiennes. Ils vivent dans des huttes. Leur nourriture est exclusivement animale : elle se compose quelquefois de chair de baleine ou de phoque, plus fréquemment de pois-sons, d'oiseaux et de coquillages. L'hiver, lorsque le poisson devient très rare, ils en sont réduits à se nourrir uniquement de moules, de patelles, de crabes et d'oursins. Leurs vêtements sont très sommaires si l'on considère le climat de ces régions : les hommes portent sur les épaules un manteau en peau de phoque ou de loutre qu'ils attachent autour du cou. Les femmes portent en plus un petit triangle en peau de guanaco suspendu entre les cuisses et fixé par un cordon qui fait le tour des hanches. Les autres observations concernent les techniques de chasse, et divers détails dont j'ai fait grâce à Josèphe.

Par ailleurs j'ai appris par Jack que les Alakalufs, l'autre peuple de marins, sont nus toute l'année, seulement enduits de graisse de phoque ! Cela semble à peine croyable.

12 octobre

Voici quelques-uns de l'équipe, parmi ceux avec qui il m'arrive de partager mes moments de détente. Je ne mentionne pas les autres scientifiques, ni les enseignes, commissaires, et lieutenants de vaisseau, ni le personnel de bord, matelots, mécaniciens, cuisiniers, etc. Le voudrais-je que je n'en aurais pas le temps : nous sommes cent quarante.

Le commandant Martial : grand, maigre, et très vigoureux. Barbe poivre et sel fournie, yeux clairs et perçants. Son patronyme correspond à son maintien : rigoureux, calme et autoritaire, comme il sied à un capitaine. Bon vivant par ailleurs, ne dédaignant pas de partager de nombreux verres avec nous.

Le docteur Hahn, Séraphin de son prénom. L'autre médecin du bord. Il partira sur *La Romanche* avec le commandant Martial et une partie de l'équipage afin d'effectuer d'autres mesures et relevés hydrographiques plus loin dans la région une fois terminé ce même travail autour de l'endroit où nous nous trouvons. Un collègue discret, un peu plus jeune que moi, assez aimable mais très peu démonstratif. Délicat dans ses manières. Grand et bel homme au regard noir et doux. Il est passionné de musique, et se qualifie lui-même d'honnête violoniste. Admire beaucoup Baudelaire (comme moi). Ne fume pas (comme moi), ne boit pas (au contraire de moi), n'est pas marié (au contraire de moi).

Gaspard Queuille, expert zoologue, blond, imberbe, timide et voûté, aux yeux délavés, un début de calvitie. Cligne souvent des yeux. D'une grande gentillesse. Dévouement à toute épreuve. Particulièrement passionné par les oiseaux. Il aura de quoi faire ici, il y en a des milliers !

Louis Chenot, expert botaniste. Ami de Queuille, ils se connaissaient avant l'embarquement sur *La Romanche*. Tous deux originaires de Nantes. Les lichens sont sa spécialité. Il y en a sur toute la planète, me dit-il, sous toutes les latitudes. Grand gaillard un peu raide. Yeux noirs, joues creuses et fine moustache. Assez secret, parle peu.

Charles Bief, expert géologue. Originaire de Montpellier comme moi, mais nous ne nous connaissions pas. Il a une très belle voix, et se pique d'être un baryton passable. Petit bonhomme pressé, barbu et moustachu, une cinquantaine d'années, parfaitement jovial. Aime beaucoup les jeux de cartes. Gros rire contagieux.

Émile Lacépède, expert météorologue et astronome. C'est lui qui dirigera les opérations concernant l'observation de Vénus, à quoi je participerai en compagnie des lieutenants de vaisseau Courcelle-Seneuil, Payen, Le Cannelier et Lephay. Originaire de Marseille. Un homme assez fort, à la grosse voix et à l'accent provençal. Bouc et moustache grisonnants. D'excellente compagnie, mais aime plus que tout se retirer discrètement et demeurer seul quelque part à lire, écrire, ou réfléchir, ce qui peut paraître surprenant pour un Marseillais, de la part de qui on attend toujours davantage de pittoresque et de faconde — « épouvantable idée reçue », s'écrie-t-il en citant Tacite, pour qui « les Marseillais allient la politesse des Grecs à l'austérité des Provençaux ». En ce qui le concerne, son dicton est « La tête dans les étoiles, et le cœur prêt à chavirer ». Sauf qu'ici, il lui faudra prendre patience pour la deuxième partie de son programme. Spécialiste aussi du magnétisme terrestre.

20 octobre

Jack m'a raconté son histoire. Elle est pour le moins étonnante. En 1855, un bateau fit naufrage dans la baie Aguirre, à l'extrémité orientale de la Terre de Feu. Quelques membres de l'équipage survécurent, dont Jack, qui devait avoir entre dix et douze ans à cette époque – mais pas ses parents. Les rescapés gagnèrent la côte et avancèrent vers l'ouest, sans que s'interposent les aborigènes de la région, qui sont une quatrième peuplade dont je n'avais jamais entendu parler jusqu'ici, les Aush. C'était la fin de l'automne et les conditions météorologiques étaient effroyables. La plupart des rescapés, souffrant de diverses contusions dues au naufrage, moururent au bout de quelques jours. Il ne restait que Jack, qui lui-même souffrait d'un bras blessé, qu'il a conservé raide depuis lors, et un matelot, le second cuisinier, un nommé Augustin, comme moi. Un soir ils furent attaqués par les aborigènes. Augustin succomba, et Jack parvint à s'enfuir. Il me dit aujourd'hui qu'il ne s'agissait sans doute pas d'un groupe d'Aush, qui sont plutôt pacifiques, mais plus certainement de quelques Onas, qui pour leur part sont beaucoup plus belliqueux, et qui selon lui avaient été envoyés en éclaireurs dans le territoire des Aush. Quoi qu'il en soit, Jack se retrouva seul, désespéré, blessé et totalement paniqué, comme on peut l'imaginer. Le lendemain sur le rivage il vit arriver une pirogue. Il ne chercha même pas à fuir. Il s'agissait de Yahgans, qui se trouvaient là à l'extrême limite de leur territoire. Ils le recueillirent, lui donnèrent à boire et à manger, le soignèrent – il ne put cependant jamais récupérer l'usage de son bras. Il resta huit ans parmi eux, dans la famille d'un certain Harrapuwaian, qui comptait quelques enfants de son âge. Il vécut comme eux, apprit leur langue. Mais il gardait au cœur la nostalgie de son pays natal. Harrapuwaian savait qu'en un certain point de la côte passaient parfois des navires. Il y envoya Jack, qui confectionna un grand drapeau en peau de phoque. C'est ainsi qu'il fut recueilli par une goélette anglaise. Il rentra en Europe, en Angleterre d'abord puis en France. Il se nomme en réalité Joseph, mais il avait été surnommé Jack par les Yahgans, du nom d'un Anglais qui une vingtaine d'années auparavant avait connu à peu près le même destin, à cette différence près qu'il avait été recueilli et élevé non par des Yahgans mais par les redoutables Onas — qui ne sont donc pas si sanguinaires, mais que les Yahgans détestent autant qu'ils les craignent. Or un jour, le prenant pour un Ona, ils profitèrent du fait qu'il était seul et apparemment inoffensif pour le tuer de sang-froid alors qu'il marchait le long de la côte en direction d'Ushuaia. Constatant leur méprise, les Yahgans se repentirent beaucoup et regrettèrent cet acte. Cette histoire devint emblématique dans toute la communauté, bien au-delà de ses seuls protagonistes, et sans doute le fait d'avoir recueilli Joseph, de l'avoir élevé, et baptisé du nom de celui qui fut assassiné sans raison, constituait-il une sorte de rachat pour le peuple yahgan tout entier.

Quelques années plus tard en France, alors qu'il était à nouveau tourmenté par la nostalgie, mais cette fois vis-à-vis de ces Indiens parmi lesquels il avait passé huit années de sa jeune existence, Jack entendit parler de notre expédition et proposa ses services en tant qu'interprète.

Je ne sais s'il compte retrouver sa famille adoptive, car nous ne nous trouvons pas, et d'assez loin, à l'endroit où elle vivait, mais le simple fait de fréquenter à nouveau ces paysages et ces hommes, de parler leur langue, semble pour l'instant suffire à son bonheur.

30 octobre

Les travaux progressent de toute part. Une partie de l'expédition (dont mon collègue Hahn) est partie quelques jours à bord de *La Romanche* pour effectuer des relevés hydrographiques dans l'archipel, vers le détroit de Magellan. Tous ceux qui ne sont pas concernés sont restés à terre. Quant au transit de la planète Vénus, il aura lieu en décembre. Pour le reste, chacun s'active selon sa spécialité.

1er novembre

Aujourd'hui nous vîmes accoster un navire d'où est descendu un Européen assez grand, barbe rase et cheveux noirs, un grand front, l'air fort civil : le pasteur Thomas Bridges, qui vit au nord, dans une mission qu'il a fondée avec d'autres pasteurs anglicans sur le canal de Beagle. Il avait entendu parler de notre présence ici (dans ces régions pauvres en hommes, tout se sait très vite), et a besoin d'aide médicale. J'apprends avec stupéfaction qu'il s'agit du même pasteur qui a donné leur nom aux Yahgans. Il me dit qu'il a forgé ce nom sur le mot « Yaga » ou « Yaga-shaga » qui désigne chez ces Indiens le centre approximatif de leur territoire, à savoir la passe de Murray, entre l'île Hoste, où nous nous trouvons, et l'île Navarino. Ils n'avaient jusqu'alors pas de nom spécifique pour se désigner eux-mêmes, sauf le terme de « Yamanas », qui signifie « les gens », ou « les personnes », sans doute pour se différencier des tribus qui les entouraient. Le pasteur Bridges vit là depuis plus de quinze ans, avec femme et enfants. Il parle la langue des Indiens et a même établi un dictionnaire anglais-yahgan. Il dit qu'il a été fasciné par l'extraordinaire richesse de cette langue, la beauté grammaticale de sa construction, et les subtilités infinies qu'elle recèle. Il s'agit d'une des tribus les plus pauvres de la planète, dit-il, une race sans littérature, sans histoire, sans poésie et sans science, et pourtant leur langue possède une structure, des sons et un vocabulaire inégalés – sauf pour les idées qu'ils n'ont jamais conçues, précise-t-il, ce qui fait qu'il est difficile de leur parler par exemple du salut de l'âme ou des bienfaits de la religion chrétienne. Son dictionnaire anglais-yahgan compte trente-deux mille mots. En revanche le pasteur Bridges n'en parle pas un de français. Heureusement, je me débrouille à peu près en anglais. L'ensemble de l'expédition a décidé que je l'accompagnerai chez lui pour procéder à quelques soins auprès d'Indiens malades.

7 novembre

Le pasteur Bridges et moi avons accosté le 2 novembre dans la baie d'Ushuaia, où se trouve la mission qu'il a fondée. L'endroit est facile d'accès : on peut rejoindre l'Atlantique à l'est et le Pacifique à l'ouest par le canal de Beagle, et le cap Horn au sud par le détroit de Murray, en longeant l'île Hoste où nous avons installé notre expédition. La baie d'Ushuaia, formée par un vaste cirque de hautes montagnes, est spacieuse et très bien abritée. Les sols y sont fertiles, et propres à l'agriculture. Des maisons de bois sont établies çà et là, entourées de terrains défrichés. Le pasteur Bridges distribue chaque année des haches, des scies et une grande quantité de vêtements qui lui sont envoyés d'Angleterre. Plusieurs troupeaux appartenant en partie à des indigènes vivent sur les pâturages de la mission. En outre une école a été fondée, et déjà un grand nombre d'Indiens savent lire. On leur a fait parvenir de Londres l'Évangile de Luc traduit en langue yahgan. Tout laisse à penser que, dans un avenir assez proche, les conditions d'existence de ces indigènes pourront se modifier favorablement.

Pendant quatre jours, du matin au soir tard, je n'ai fait que soigner des Indiens atteints de toutes sortes d'affections, plus ou moins graves. Huit étaient morts le mois dernier, de maladies qui leur avaient été inoculées au contact des Européens. J'ai dû effectuer plusieurs interventions chirurgicales sans anesthésie, dont une sur un vieillard nommé Palajlian, à qui j'ai été obligé d'enlever l'œil gauche

153

pour éviter une grave infection, et que j'ai ensuite opéré de l'autre pour tenter de le sauver. L'intervention fut extrêmement éprouvante. Le vieillard, tandis que je lui faisais ainsi souffrir mille morts, fut admirable : il ne disait rien, ne se plaignait d'aucune manière, se contentant de serrer convulsivement la main du pasteur Bridges. Tout ceci était fort émouvant.

Pendant le trajet de retour hier soir, je ne cessais de penser à ces vers de Baudelaire :

Tes yeux creux sont peuplés de visions nocturnes,
Et je vois tour à tour réfléchis sur ton teint
La folie et l'horreur, froides et taciturnes.

Une fois arrivé, j'ai dormi douze heures d'affilée.

8 novembre
Un Indien vient nous rendre visite tous les jours depuis notre arrivée. Il se nomme Yekaifwaianjiz, mais il préfère qu'on l'appelle par son diminutif, Yekaif. C'est tant mieux, car nous serions bien en peine de prononcer son nom en entier ! Il est très amusant, et assez doué en matière de mime. Ainsi il nous imite tous avec beaucoup de talent, acquérant rapidement la gestuelle de tel ou tel d'entre nous. Mais cela ne me surprend pas outre mesure : le pasteur Bridges m'avait déjà parlé de ce don, ou peut-être de ce désir, d'imitation, que semblent posséder de nombreux Indiens. Il s'en était rendu compte la

154

première fois lorsque, peu de temps après que sa femme et lui s'étaient installés à Ushuaia, ils avaient aperçu à plusieurs reprises des couples de Yahgans se promenant au bord de la plage bras dessus bras dessous, comme ils avaient vu les époux Bridges le faire.

Yekaif a chassé l'otarie à plusieurs reprises à bord de goélettes américaines, si bien qu'il parle un peu anglais, qu'il mélange à de l'espagnol appris quelque part sur la côte chilienne ou argentine. Doué également pour les langues, il a très vite appris auprès de membres de l'équipage quelques mots de français – pas parmi les plus distingués, hélas… Jack et lui conversent beaucoup ensemble. J'ai dans l'idée que Jack cherche à retrouver sa famille d'adoption.

14 novembre

Nous respirons à nouveau. Pendant cinq jours et cinq nuits il nous a quasiment été impossible de sortir de nos abris. Une terrible tempête a soufflé sans discontinuer. Les vents hurlaient, la mer grondait, la terre gémissait, le ciel tonnait, la pluie était d'une extrême violence. On n'y voyait pas à dix pas. La fin du monde, assurément, se disait chacun de nous sans oser en faire part aux autres. Tonnerre, quel climat épouvantable ! Jamais de ma vie je n'ai ressenti à ce point l'extrême ténuité de notre condition, la petitesse de nos vies, la fragilité de nos destins. Pendant tous ces jours j'ai lu, rassemblé des notes concernant les Indiens, leur habitat et leur mode de vie, j'ai écrit à Josèphe. Lorsqu'une relative accalmie survenait, l'un de nous se faufilait chez un autre, et nous jouions à des jeux de cartes ou de dominos. Nous avons aussi bien bu et fumé. Un médecin comme moi le sait, mais je viens de l'expérimenter avec force : notre fragilité est phénoménale, et nous ne sommes rien. Au demeurant, l'esprit qui souffle en nous fait que nous sommes plus grands que tout.

Le tonnerre et la pluie ont fait un tel ravage,
Qu'il reste en mon jardin bien peu de fruits vermeils
(Baudelaire – mais de fruits vermeils nous n'avions point.)

Quand la fraîcheur du soir eut apaisé l'orage,
Ni le vent ni la fleur n'existaient déjà plus.
(Sully Prudhomme – mais de fleurs nous n'avions pas davantage.)

15 novembre

Les travaux continuent. *La Romanche* est revenue aujourd'hui après avoir exploré une partie de la côte nord de l'île Hoste et une partie du canal de Beagle. Elle repart dans une semaine vers le sud. La tempête a soufflé moins fort du côté du canal.

La météo est plus clémente ces jours-ci. Les vents semblent apaisés.

Le temps s'écoule bizarrement : les journées passent aussi vite que les heures semblent longues. C'est étrange.

Les couleurs sont magnifiques, mais il m'a fallu longtemps pour m'en rendre compte. Les ciels sont si changeants que cela crée de multiples et saisissants effets de lumière sur les roches et la végétation. Les couleurs semblent saturées, plus vives que chez nous. Même le noir est vif. Les reliefs les plus discrets prennent une ampleur qu'on ne leur soupçonnait pas quelques minutes plus tôt, sous une autre lumière.

Je photographie de nombreux Indiens. Cela les amuse.

17 novembre

Est-ce l'effet de la tempête de la semaine dernière ? Depuis je rêve fréquemment de naufrages et de morts. Cette nuit je vivais plus ou moins le destin de Jack — qui d'ailleurs a disparu depuis deux jours, en compagnie de Yekaif. Je survivais à un terrible naufrage et étais recueilli par d'immenses Indiens aux yeux noirs. La mer était recouverte de cadavres.

18 novembre

Rêvé de ma mère. Elle était très pâle et me parlait de son grand-père Louis, celui qui est mort à Waterloo après avoir été fait prisonnier par les Russes le 18 novembre 1812 (cela fait donc soixante-dix ans exactement aujourd'hui) et avoir souffert mille morts — ainsi qu'à son retour deux ans plus tard il l'avait raconté à sa femme qui le croyait disparu à

157

jamais. Il était reparti servir l'Empereur quelques mois après, pour finir comme des milliers d'autres sur le triste champ de la dernière bataille. Dans mon rêve ma mère tenait à la main la médaille de Napoléon, celle-là même que je garde toujours avec moi et qui, tandis que j'écris ces lignes, est devant moi dans son écrin sur le petit bureau d'acajou. Elle me disait que son grand-père y tenait énormément (je le sais très bien, ce rêve ne m'apprend rien), et qu'il ne fallait pas que je la perde à présent que je me trouvais au bout du monde, dans des contrées infiniment plus sauvages et reculées que celles où s'était rendu son grand-père Louis, qui pourtant, à en juger par ce qu'il en avait dit à son retour, n'étaient que pays misérables, barbares, et le plus éloignés de toute civilisation qu'il lui fût possible d'imaginer. Que dirait-il s'il voyait les contrées dans lesquelles je me trouve à présent ! En matière de sauvagerie et d'éloignement de la civilisation, et ce en dépit des louables efforts de la famille Bridges, les côtes du canal de Beagle et de l'île Hoste n'ont pas d'équivalent.

Ce rêve m'a poussé à aller fureter dans la bibliothèque du bateau, où j'avais vu peu après notre départ quelques exemplaires des *Bulletins officiels de la Grande Armée*, reliés de cuir rouge. Je m'étais demandé ce qu'ils faisaient là. Sans doute le commandant Martial est-il nostalgique de l'Empire, avais-je d'abord pensé. Puis je m'étais avisé qu'il y avait à l'intérieur la mention du nom de Lacépède, suivie d'une date, 1849. C'était étrange, pour le moins. J'ai appris ensuite que le commandant, qui est en effet fort attaché à toute la période napoléonienne (j'avoue que cela me sidère quelque peu), s'était vu offrir ces livres par notre astronome météorologue Lacépède, un de ses vieux amis, qui les tenait de son père, ou de son oncle, je ne sais. J'ai vite trouvé en tout cas les pages correspondant à la bataille de la Berezina, et aux revers subis juste avant, lorsque mon arrière-grand-père avait été fait prisonnier.

J'en retranscris un passage.

Vingt-neuvième bulletin, Molodetchno, 3 décembre 1812 : « *[L'Empereur] espérait arriver à Minsk, ou du moins sur la Berezina, avant l'ennemi ; il partit le 13 novembre de Smolensk ; le 16, il coucha à Krasnoï. Le froid qui avait commencé le 7, s'accrut subitement, et du 14 au 15 et au 16, le thermomètre marqua 16 et 18 degrés au-dessous de glace. Les chemins furent couverts de verglas ; les chevaux de cavalerie, d'artillerie, de train périssaient toutes les nuits, non par centaines mais par milliers, surtout les chevaux de France et d'Allemagne. Plus de trente mille chevaux périrent en peu de jours ; notre cavalerie se trouva toute à pied ; notre artillerie et nos transports se trouvaient sans attelage. Il fallut abandonner et détruire une bonne partie de nos pièces et de nos munitions de guerre et de bouche. [...] L'ennemi, qui voyait sur les chemins les traces de cette affreuse calamité qui frappait l'armée française, chercha à en profiter. Il enveloppait toutes les colonnes par ses Cosaques, qui enlevaient, comme les Arabes dans les déserts, les trains et les voitures qui s'écartaient. Cette méprisable cavalerie, qui ne fait que du bruit et n'est pas capable d'enfoncer une compagnie de voltigeurs, se rendit redoutable à la faveur des circonstances. »*

C'est à ce moment-là que mon arrière-grand-père fut fait prisonnier par les Russes.

19 novembre

Beau temps.

Mon grand-père Tobias Folcher, le père de ma mère, disait se souvenir du jour où son père Louis était rentré de captivité après avoir traversé la Russie occidentale, la Pologne et l'Allemagne à pied. Mais il était alors un si petit enfant qu'il n'est pas impossible qu'il ait en réalité construit un souvenir à partir de ce qu'avait dû lui raconter sa propre mère du retour inopiné de ce mari qu'elle croyait mort depuis deux ans. Retour qui d'ailleurs fut fort bref : il ne resta que quelques mois en France, et rejoignit les troupes napoléoniennes pour aller se faire massacrer à Waterloo. Nous n'avons conservé de lui que cette médaille que j'ai sur mon bureau. Elle me fait face tandis que j'écris. Elle représente Napoléon au recto, et la Vénus de Médicis au verso. (J'avoue qu'en règle générale je la tourne plutôt du côté de la Vénus, et pas du profil de l'Empereur…) Elle a été remise à mon arrière-grand-mère, quelques mois après la bataille, par un officier survivant. J'ignore où mon arrière-grand-père se l'était procurée. (J'ignore aussi pourquoi ce n'est pas mon oncle, Saturnin

Folcher, le frère de ma mère, qui en a hérité. Mais après tout pourquoi tout passerait-il toujours par les hommes ? Mon oncle et mon grand-père en outre ne s'entendaient pas très bien.) Toujours est-il qu'elle a échu à ma mère, et que nous l'avons toujours gardée avec nous. Ma mère me racontait parfois ce que son grand-père avait dû subir en Russie. Il avait tenu un journal de captivité, qu'il avait fait lire à sa femme, lui indiquant que cela lui allait mieux que de raconter : en bon soldat, il n'était pas homme de discours. L'histoire était donc passée du journal de mon arrière-grand-père à sa femme, qui l'avait racontée plus tard à son fils mon grand-père, qui lui-même l'avait racontée à ma mère (et aussi sans doute à son fils mon oncle), et enfin à moi. Lorsque mon arrière-grand-père Louis était reparti servir les troupes de l'Empereur, il avait emporté ce journal avec lui tant il y tenait. Mais l'officier qui nous avait remis la médaille ne l'avait pas ramené. Je ne sais ce qu'il est devenu. Il a dû disparaître avec le corps du soldat Folcher dans la fosse commune, en compagnie de milliers de soldats anglais, prussiens et français, de chevaux, de carrioles, d'objets de toutes sortes, reliques, carnets, bijoux dissimulés dans une doublure de veste, mèches de cheveux, souvenirs, porte-bonheur, et tout cela s'est trouvé indistinctement mêlé dans le ventre de la terre, ainsi que depuis toujours disparaissent les êtres et les choses dans le puits noir du temps — lentement, sans laisser la moindre trace jamais.

20 novembre

Jack et Yekaif sont de retour. Jack a pu rencontrer des membres de sa famille adoptive, qui se trouvaient quelque part du côté de la baie Tekenika, au nord. Il n'a rien dit de cette entrevue, mais semblait très ému.

22 novembre

Aujourd'hui *La Romanche* est repartie. Jack et Yekaif se sont joints à l'expédition.

23 novembre

Les Yahgans sont des nomades marins, comme leurs cousins les Alakalufs, dont nous n'avons encore rencontré aucun individu. Je ne sais si nous le pourrons, car ils vivent plus à l'ouest, et ne se mêlent pas aux autres peuples. Mes compagnons qui sont sur *La Romanche* pour effectuer les relevés hydrographiques dans la zone du détroit de Magellan les étudieront sans doute. Mais ils sont très sauvages paraît-il, et l'homme blanc leur inspire une grande crainte.

24 novembre

Les Yahgans croient aux esprits des morts qui se manifestent parfois. Leurs légendes sont très nombreuses : j'ai recueilli toutes celles qui m'ont été rapportées. Par exemple ils croient à l'existence d'hommes sauvages des forêts, qui se distinguent selon deux groupes dont j'ai mal mesuré les différences (peut-être sont-elles simplement géographiques), les Hanusch et les Cushpij. Ils disent que ces hommes sauvages enlèvent parfois les femmes yahgans pour s'accoupler avec elles. J'ai lu la même légende sur les peuples de l'Himalaya, au sujet du fameux yéti.

Autre légende : dans certains lacs et certaines baies se trouvent des créatures féroces nommées « Lakooma ». Quiconque longe de trop près les berges de ces lieux maudits court le risque de voir une main gigantesque émerger des eaux et l'entraîner vers le fond pour le dévorer. L'hiver on repère les endroits où se cachent les « Lakooma » car la glace se forme partout, sauf là. Mais l'été, c'est beaucoup plus difficile de les distinguer, donc beaucoup plus dangereux de s'y aventurer. Cela m'a rappelé les monstres Charybde et Scylla de *L'Odyssée* — et aussi, du moins par la proximité du nom, l'épisode où dans *L'Iliade* Laocoon et ses fils sont attaqués par d'immenses serpents marins.

Dans le même registre ou presque, il y a plusieurs récits de créatures monstrueuses qui jadis furent des femmes injustement répudiées, et qui se vengent en attirant les hommes sous l'eau, vers des gouffres sans fond, pour leur faire souffrir mille maux. La nuit lorsqu'on entend gémir sans raison entre les récifs, ce sont les hommes disparus qui souffrent et pleurent sans fin.

(*Ces monstres disloqués furent jadis des femmes* — CB)

25 novembre

Tempête à nouveau, qui a duré trois jours. Nous nous habituons. Nous travaillons (beaucoup), lisons, buvons, fumons, jouons à des jeux de société.

27 novembre

La Romanche est de retour depuis hier.

29 novembre

Le pasteur Bridges est venu passer quelques jours, en compagnie de deux de ses enfants, deux jeunes garçons de huit et dix ans. Ils sont nés en Terre de Feu, sont parfaitement anglais, et de vrais petits Indiens aussi bien. Ils sont très débrouillards, curieux de tout, et extrêmement vifs. Au début, m'a dit Bridges par la suite, ils étaient impressionnés par nos barbes et nos lunettes, mais nous avons plaisanté avec eux, et la glace s'est vite rompue. Ils nous avaient apporté en guise de cadeaux des échantillons de plantes, pierres, œufs et insectes, qui ont beaucoup intéressé Queuille, Bief et Chenot. Leur passion en ce moment étant de collecter les insectes, je leur ai donné des bouteilles d'alcool pour les conserver, ainsi qu'une poudre insecticide puissante. Ils se sont montrés très intrigués par la médaille de mon arrière-grand-père, qu'ils ont tout de suite repérée sur mon bureau, et m'ont demandé la permission de la saisir. Ils l'ont fait longtemps tourner entre leurs doigts. Je pense qu'ils auraient bien aimé que je la leur donne. Mais, outre que j'y suis attaché, je me souvenais du rêve où ma mère me recommandait de ne pas la perdre. Et puis que feraient deux enfants de huit et dix ans d'une vieille médaille de cuivre, représentant de plus un ancien ennemi de leur nation ?

Ils étaient très fiers de pouvoir traduire ce que nous disaient les Indiens qui ne cessent d'aller et venir autour de notre campement. Yekaif, qui connaissait déjà toute la famille puisqu'il s'est souvent rendu à la mission d'Ushuaia, semblait heureux de les revoir. Il a imité chacun des enfants et leur père, en se cachant le visage dans les mains tant il riait.

30 novembre

Le révérend Bridges m'a donné quelques notions de vocabulaire yahgan, et il en a profité pour me montrer à quel point la langue de ces Indiens est différente de celle des autres peuplades de la région de la Terre de Feu, à savoir celle des Onas et des Aush (il ne connaît pas la langue des Alakalufs). C'en est proprement incroyable ! Comment des peuples qui vivent plus ou moins dans la même région depuis des siècles ou des millénaires peuvent-ils désigner les mêmes choses sous des vocables si différents, sans la moindre racine commune ? Même entre le russe et le français il y a davantage de similitudes pour les mots simples. Pour dire « homme » par exemple, les Onas disent « chohn », les Aush « hink », et les Yahgans « ua ».

165

« Femme » se dit « nah » en langue ona, « nimmin » en langue aush, et « keepa » en langue yahgan.

Le mot « eau » se dit « choh » pour les Onas, « utn » pour les Aush et « sima » pour les Yahgans.

Et ainsi de suite. Ce sont pourtant les mots les plus communs qu'on puisse imaginer, et les plus fréquemment utilisés.

2 décembre

J'ai enfin reçu une lettre de Josèphe, qui a transité par la mission d'Ushuaia. Elle va bien, et les enfants aussi. Elle a hâte que je rentre — moi aussi, parfois. Elle me parle de la famille, des enfants, de quelques amis, et de la vie qui continue paisiblement là-bas, si loin d'ici… Elle me dit qu'elle a lu *Le Rayon vert*, de Jules Verne, qui vient de paraître. C'est l'histoire d'un groupe de jeunes gens qui se rendent jusqu'au nord de l'Écosse pour apercevoir le fameux rayon vert, mais les conditions de son observation sont peu favorables en raison des brumes épaisses qui baignent cette contrée. Étant donné que nous nous trouvons plus ou moins à la même latitude, mais côté sud, que le nord de l'Écosse, elle espère qu'il n'en ira pas de même pour les observations que nous devons effectuer. Elle m'apprend aussi le décès de Henry Draper, que je ne connaissais pas personnellement, mais qui comme moi était médecin, et en quelque sorte l'inventeur de la photographie astronomique. À l'heure où nous nous apprêtons à photographier la planète Vénus, ces deux coïncidences sont surprenantes.

(Je viens de réaliser à l'instant cette autre coïncidence : c'est la déesse Vénus qui figure sur la médaille de mon arrière-grand-père.)

3 décembre

Beau temps depuis la tempête de la fin novembre, en dépit de quelques averses parfois, mais qui ne durent pas. Nous nous sommes de toute manière habitués aux caprices de la météo ici : hormis la tempête, rien ne semble durer vraiment, et les journées de beau temps relatif se limitent en réalité à quelques heures de soleil, le reste étant constitué d'incessants passages nuageux qui dessinent sur la terre et l'océan de superbes jeux d'ombres et de lumières.

5 décembre

Nous avons pour la millième fois vérifié le matériel pour l'observation et les clichés de la planète Vénus lorsqu'elle passera devant le soleil. C'est prévu pour demain. Depuis deux jours le ciel est clair, et les conditions d'observation idéales. Reste à espérer que cela durera…

7 décembre

C'était superbe, magnifique ! Le ciel était parfaitement dégagé, et nous avons pu observer et photographier la planète Vénus pendant tout son transit devant le disque solaire, du premier au quatrième contact. Cela a duré un peu plus de six heures, de 14 h à 20 h en temps universel – soit de 9 h à 15 h pour nous.

Le soir nous arrosons (d'ailleurs un peu trop) la réussite absolue de l'opération.

15 décembre

Gaspard Queuille a dénombré trente-cinq espèces d'oiseaux différentes. Et Louis Chenot, pas moins d'une quarantaine d'espèces de lichens !

20 décembre

Le pasteur Bridges est revenu. Il aimerait que je l'accompagne à nouveau jusqu'à Ushuaia pour examiner un Indien qui présente depuis quelques jours des symptômes assez étranges. À ce qu'il m'en dit, je pense à une stupeur catatonique. Nous partons.

22 décembre

Lasapowloom, l'homme que j'ai examiné (on l'appelle Lasapa), présentait bien des signes de catatonie : prostration généralisée suivie d'accès soudains d'agressivité, raideur généralisée puis vive et brève agitation, signes d'échauffement et, lors des crises de prostration, une résistance absolue aux tentatives de mobilisation. Ceci depuis une semaine environ. Dans le même temps son appétit sexuel a considérablement augmenté. La syphilis peut parfois provoquer de tels troubles neurologiques et dégénérer en paralysie menant à la démence, mais je l'ai examiné, et il n'en porte aucune trace visible. Du reste il est dans le même temps doté d'un solide appétit, ce qui va exactement à l'inverse des symptômes occasionnés par la syphilis. J'avoue mon incompétence. Les autres Indiens disent qu'il est possédé par l'esprit d'un homme qu'il a assassiné l'année dernière afin de s'approprier son épouse. Ce comportement est jugé par la communauté indigne d'un Yahgan, m'explique le pasteur Bridges, et c'est pourquoi ils pensent que cet homme est puni par l'esprit de sa victime. En effet, le mariage chez les Yahgans est généralement signe d'une affection réciproque. Parfois il peut procéder de la capture d'une épouse, mais jamais d'un assassinat. Chez les Onas en revanche, m'indique le pasteur Bridges, ce dernier cas est beaucoup plus fréquent, et tuer pour acquérir l'épouse d'un autre est considéré comme parfaitement légitime. Ces Onas, que nous n'avons pu voir, sont grands, forts et féroces à l'égard des autres Indiens, qui les redoutent fortement. (Néanmoins le pasteur Bridges et ses enfants entretiennent de bons rapports avec nombre d'entre eux.)

En France, Lasapa aurait été interné et examiné par un aliéniste, mais ici je n'ai rien pu faire. Sans doute est-ce mieux pour lui. Il est préférable de laisser la communauté tenter de résoudre ce genre de problème par les méthodes qui sont les siennes : intervention du chaman, convocation des esprits, magie et médecine mêlées.

25 décembre

Nous avons vu des baleines ! Spectacle fascinant ! Et quel beau cadeau de Noël ! Une mère et son petit, qui plongeaient doucement dans l'eau grise, remontaient, soufflaient, replongeaient. Cela a duré longtemps : cinq bonnes minutes. Queuille était ému aux larmes. Ce sont des baleines à bosse, qui effectuent leur passage migratoire. Dieu, que ces animaux sont puissants ! Et fragiles aussi bien. Il est très surprenant, au vu de leur masse prodigieuse, de constater que cette fragilité saute littéralement aux yeux. Je les vois comme de très vieilles personnes dotées d'une infinie bonté et d'une sagesse millénaire.

Du temps que la Nature en sa verve puissante
Concevait chaque jour des enfants monstrueux,
J'eusse aimé vivre auprès d'une jeune géante,
Comme aux pieds d'une reine un chat voluptueux
(CB)

1er janvier 1883

Nous avons fêté comme il se doit le passage de la nouvelle année, si bien que ce matin je suis pris d'une migraine tenace. Queuille s'est effondré ivre avant minuit ; Bief chantait *Carmen* et riait beaucoup ; Lacépède ronflait assis dans un coin ; Chenot souriait de manière énigmatique à tous nos propos débridés mais ne disait pas grand-chose ; le docteur Hahn s'est révélé, l'alcool aidant, être un excellent compagnon, et nous a joué des airs entraînants à l'aide d'une guitare trouvée sur le bateau ; le commandant Martial semblait satisfait de voir tout son petit monde se libérer un peu des travaux journaliers ; le reste de l'équipage chantait et dansait ; Jack quant à lui est sorti un peu après minuit avec Yekaif, ils ont allumé un feu de camp et nous les avons rejoints. Comme nous avions trop de bois vert, la fumée était épaisse. Ensuite ils ont dormi dehors, tandis que nous rentrions.

5 janvier

La mission n'est pas terminée, il nous reste entre autres quelques observations relatives au magnétisme terrestre, mais nous pouvons d'ores et déjà affirmer qu'elle est un franc succès. Pas uniquement en ce qui concerne l'observation de Vénus, mais aussi toutes les études et découvertes effectuées dans les autres disciplines. Les côtes fuégiennes qui étaient mal connues, notamment l'endroit où nous nous trouvons, entre le canal de Beagle et le cap Horn, le sont à présent de manière quasi exhaustive. Nous avons nommé des sites jusqu'ici inexplorés, comme l'île des Éclaireurs, ou les péninsules Dumas et Pasteur, sur l'île Hoste. Quant aux travaux de

Queuille, Bief et Chenot, ils ont permis la découverte de nouvelles espèces animales et végétales, ainsi que diverses et neuves considérations relatives à la géologie, à quoi je n'entends rien, et que je ne peux donc guère détailler. J'ai pour ma part pris plus de trois cents photos des Indiens Yahgans, et accumulé quantité d'informations à leur sujet : de quoi écrire des dizaines d'articles, pour le moins.

J'écris à Josèphe une lettre enthousiaste.

Paul

8 février

— Tiens, j'ai trouvé ça, dis-je à Rosario en lui tendant mon carnet (un moleskine comme Chatwin, ici cela s'imposait, j'ai toujours été très perméable aux argumentaires de vente) à la page où j'avais noté : « *Le phénomène naturel qui sert de base aux opérations du démon est de deux sortes. Tantôt l'homme sent comme une force qui l'étreint, le lie et paralyse l'activité du système nerveux ; tantôt au contraire il se sent emporté par une puissance expansive, diabolique, élastique, qui surexcite le système nerveux tout entier, et qui a son foyer dans les organes sexuels, tandis que la première gît surtout dans les plexus pulmonaires.* »

Rosario hocha la tête.

— Et d'où ça sort ?

— *La Mystique divine, naturelle et diabolique* de Görres. Je l'ai noté avant de partir, j'ai oublié de te le montrer.

— Ah d'accord... Mais enfin, tu sais, moi, ce genre de trucs.

Je soupirai. Rosario avait le chic pour se faire une idée préalable sur à peu près tout avant même de s'y pencher.

– Écoute, le truc, comme tu dis, c'est qu'il y a toujours eu dans toute société humaine des cas de possession, mets-y tous les guillemets que tu veux, dont certains symptômes correspondent à ce que ton oncle a décrit. Moi non plus je ne connais rien à tout ça, mais je sais qu'on trouve à peu près partout ce qu'on appelle par exemple des rituels d'ensauvagement, autrement dit la possession par l'esprit de l'animal qu'on va chasser. Or ils se traduisent par le type de symptômes dont parle ton oncle : échauffement, appétit sexuel, faim démesurée. Ensuite, qu'on appelle cela possession diabolique ou mystique, transe chamanique, extase, dépossession de soi, aliénation, folie ou sagesse supérieure, peu importe.

Le serveur débarrassa notre table. Nous commandâmes deux cafés.

– Je veux bien, fit Rosario, mais ça ne nous avance pas beaucoup. Et surtout Vincent n'était pas chasseur.

– Peut-être chassait-il les femmes, risquai-je. Tu as lu son texte : faiblesse psychologique, plus épuisement, plus perte de repères, plus possession par l'esprit du gibier pourchassé, égale effondrement généralisé et fuite au bout du monde.

– Hm… Tu vois trop de films, conclut Rosario.

Nous étions assis dans un petit restaurant de Punta Arenas, face à une mer métallique et froide, couleur écailles de poisson. La lumière était tranchante. L'air était transparent, comme saturé d'oxygène. Nous venions de quitter de grandes avenues à peu près désertes, bordées de bâtiments vétustes aux couleurs vives, et peuplées de chiens errants – comme dans la plupart des bouts du monde, ou des mondes non industrialisés à outrance, dans lesquels les herbes folles peuvent encore croître en toute liberté au cœur des villes pour peu qu'on ait quitté les deux ou trois artères principales. Devant nous, de l'autre côté de la baie vitrée, le littoral se réduisait à une courte plage couverte de déchets. Un ponton à moitié détruit et envahi de cormorans traçait une perspective fuyante dont le point de mire était un chalutier rouge vif au milieu du détroit de Magellan. Le ciel était immense et changeant, gris, puis bleu, puis gris, puis noir, blanc, gris, puis bleu. Les nuages couraient, se bousculaient, créaient d'inquiétants rassemblements puis se dissolvaient soudain, et le soleil illuminait alors violemment le goudron noir, les panneaux de signalisation jaune pétard, les enseignes et façades multicolores, avant de disparaître à nouveau. Tout au fond, les collines de la Terre de Feu ondulaient paisiblement. Une averse tombait parfois, cessait aussitôt, à nouveau le soleil crevait les nuages et les couleurs brillaient vives sur un fond noir d'orages au loin. Puis cela recommençait.

— C'est drôle, dit Rosario, c'est comme en Mongolie : le ciel paraît beaucoup plus grand ici.

Je pensai à Yuyan, qui m'avait dit la même chose un jour, après un séjour elle aussi en Mongolie. (Je ne savais si cela était dû à l'éloignement, mais je pensais beaucoup à Yuyan depuis quelque temps.)

— On est plus ou moins aux antipodes, dis-je. C'est peut-être pour ça. Pas impossible que les ciels soient *vraiment* plus grands ici.

Nous étions arrivés six heures plus tôt, après avoir survolé les Andes et perdu longtemps nos regards dans le spectacle somptueux des puissants plateaux neigeux qui plongeaient dans le Pacifique au loin, et du labyrinthe argenté des fjords scintillant sous le soleil froid. Ensuite nous avions pris une navette qui nous avait déposés à notre hôtel, une pension plutôt, entourée de lupins blancs et roses, à dix minutes à pied du littoral, et tenue par une jeune femme petite et menue, aux cheveux noirs ébouriffés, et dont les habits de cuir (pantalon, bottes et blouson) dissimulaient mal une série de tatouages au niveau du cou, des avant-bras et des chevilles (pour le reste, nous ne savions pas). Elle était manifestement fan d'Elvis Presley, dont le portrait (en habits militaires, de motard, de rocker ou de paillettes lors de son dernier concert) ornait l'entrée, la salle à manger, le petit réduit Internet, et une sorte de salon, dont nous n'avions pas bien compris s'il était privé ou destiné aux clients, vu qu'un vieux monsieur en pantoufles semblait y passer le plus clair de son temps, affalé dans un fauteuil devant une télévision perpétuellement allumée. La jeune rockeuse s'appelait Manuela. Originaire de Santiago, elle s'était établie ici après son mariage avec un natif de Punta Arenas passionné de motos et de voitures anciennes, et incidemment propriétaire de la petite pension Miraflores. Elle aimait bien Punta Arenas, disait-elle, les gens sont très gentils, mais on s'y ennuie vite. Elle regrettait sa vie de rockeuse à la capitale.

Nous avions comme voisins un couple d'Espagnols gays, un Américain, trois Italiens et deux Argentins, qui tous s'apprêtaient probablement à rejoindre le lendemain Puerto Natales pour partir ensuite en randonnée du côté des Torres del Paine, ou des Tres Cuernas. Nous allions prendre la même route, puisque c'était aussi celle de Rio Verde, d'où nous tâcherions de trouver un moyen de nous rendre sur l'île Larga. Mais auparavant il nous fallait louer une voiture.

C'est ce que nous étions sur le point de faire, après nous être acquittés de ce bref déjeuner dans ce petit restaurant du bord de mer, lorsque entra sans trop de discrétion (porte largement ouverte, *buenos días* retentissant, grand remuement d'air autour de son imposante carcasse, un Stetson vissé à son crâne rasé) celui que nous reconnûmes comme l'Américain qui partageait la même pension que nous. Manifestement surpris de nous trouver là, et spontanément cordial comme le sont souvent les États-Uniens, il nous salua avec force, et s'installa à la table à côté, où il commanda une bière et une portion d'agneau.

— Wilfried La Brea, se présenta-t-il en nous tendant une paluche large comme un plateau de fromages.

Rosario n'indiqua que son prénom. Moi pareil : cela évitait l'inévitable jeu de mots sur mon nom, Paul Who, etc. La Brea nous fixait d'un petit regard bleu à la fois perçant et porcin, mais pas antipathique, juste un peu dérangé peut-être. Après nous avoir demandé d'où nous venions, renseignés sur son lieu d'origine (Boulder, Colorado), et s'être extasié sur les beautés de Paris où il s'était rendu deux fois, il nous entretint pendant quelques minutes de choses et d'autres, notamment de la météo locale, à quoi nous répondîmes poliment mais sans manifester toutefois un désir effréné d'engager une conversation longue et fouillée – à compter que cela fût possible sur un tel sujet. Lorsque sa part de gigot d'agneau grillé lui fut servie, il se tut, nous fit un sourire et se mit à découper sa viande avec application. De temps en temps il s'interrompait et avalait une grande gorgée de bière. Comme nous avions de notre côté terminé de déjeuner (menu identique : agneau grillé, pommes de terre et bière), nous attendions les cafés qui, Rosario m'avait prévenu, ne seraient très probablement que de pauvres nescafés.

Un couple entra : une Indienne petite et dodue, et un grand échalas, probablement du Nord. Ils s'assirent dans un coin, main dans la main, le regard perdu vers le détroit, n'interrompant leur rêverie que pour passer leur commande. Je les regardais avec nostalgie. Je pensai à Yuyan.

Rosario profita de cet intermède pour reprendre une conversation plus privée, sur un ton de confidence.

– Et Yuyan, comment va-t-elle ?

Il devait ressentir mon trouble. Me tendait-il une perche pour que je puisse m'épancher ? Peut-être ma voix changeait-elle chaque fois que je parlais d'elle. Pourtant je prenais bien garde de ne pas parler d'elle très souvent.

Je pris ma respiration.

– *As far as I know*, elle va bien. On se téléphone de temps en temps, pour la traduction de Chen Wanglin. Je ne sais pas vraiment ce qu'elle fait d'autre, ni qui elle voit, rien.

Je baissai les yeux.

– Elle te manque, dit Rosario.

Ce n'était pas une question. J'acquiesçai.

– Quand ta mère m'a demandé comment tu m'avais persuadé de t'accompagner ici, j'aurais pu lui répondre que tu n'avais pas eu grand-chose à faire car cela rejoignait exactement mon désir : fuir le plus loin possible, à des dizaines de milliers de kilomètres de chez moi – de chez nous. L'oublier un temps, me laver les yeux, l'esprit. Tenter quelque chose, quoi.

Les cafés arrivèrent. Solubles, comme prévu.

– Tu ne l'as pas dit, mais tu l'as dit quand même, sourit Rosario en déchirant le sachet de sucre. C'est pourquoi je t'en parle.

Il soupira.

– Vous alliez plutôt bien ensemble, c'est con.

Je soupirai aussi et bus une gorgée.

– *My kingdom for an espresso*, fis-je avec une grimace.

– Parle-lui, au retour, enchaîna Rosario. En attendant, je ne sais pas, écris-lui des cartes postales. Raconte-lui un peu ce que tu fais ici.

Je lui jetai un regard méfiant.

– Des cartes postales ? Tu es sérieux ?

– Ben oui. Tu ne sais pas dans quel état d'esprit elle est. Peut-être pense-t-elle à toi elle aussi. Si tu lui fais un signe, même minuscule, elle sera touchée. C'est une sensible, Yuyan. Si elle n'a vraiment plus rien à faire de toi, ça la fera sourire, et basta.

Je ne répondis rien.

– Qu'est-ce que tu risques ? insista-t-il.

Rien, sauf que je trouvais ça ridicule. Je n'avais plus écrit de cartes postales depuis l'époque des colonies de vacances – et encore, c'était à ma grand-mère.

– Ou alors des SMS, dit Rosario, qui avait lu dans mes pensées.

– Et toi, Émilie ? changeai-je, quoique pas tellement, de sujet.

Il haussa les épaules.

– Toujours pareil. Tu sais bien, on vit chacun de son côté car ensemble on se foutrait vite sur la gueule, mais on ne peut pas se passer l'un de l'autre longtemps. C'est assez passionné, comme relation. Très excitant sexuellement, mais pas vraiment reposant.

– Pas le genre à vous écrire des cartes postales, quoi.

– Pas trop, sourit Rosario. Ou alors des cartes postales un peu trash.

Avec Yuyan, évidemment, ce n'était pas du tout ça. Je suppose qu'Émilie et Rosario considéreraient nos ébats comme de mièvres sucreries, tandis que nous verrions les leurs comme des combats violents dans lesquels nous ne nous reconnaîtrions pas. Si nous devions échanger les rôles, ils s'ennuieraient vite, tandis que nous froncerions les sourcils d'un air interrogateur, « C'est quoi, ces jeux du cirque ? Et la tendresse, bordel ? »

— On n'est pas faits pareil, conclus-je.

— Ça, je le savais, dit Rosario.

Nous finîmes nos cafés. À la table d'à côté, La Brea avait englouti ses tranches d'agneau. Il nous adressa un franc sourire un peu huilé.

Rosario

9 février

Nous étions cinq dans la voiture.

Paul, moi et trois autres qui se trouvaient dans la même pension de Punta Arenas : le massif États-Unien Wilfried La Brea, et deux Argentins nommés Herbert Julius Klaingutti et Emilio von Klappenbach (– C'est un nom argentin, ça ? m'avait demandé Paul. – Il n'y a pas vraiment de nom argentin, avais-je répondu. Klappenbach est un des principaux noms de famille de l'immigration allemande en Argentine. Mon dentiste à Buenos Aires s'appelait ainsi, sans le *von*), l'un grand et maigre, le cheveu rare et filasse, long visage intelligent, grand nez et grandes dents jaunâtres, l'autre petit, brun, volubile et dodu, sourcils broussailleux sur petits yeux mobiles – des caricatures de Quichotte et Sancho en somme, à qui j'avais bien pris soin de ne pas révéler que j'étais moi-même à moitié argentin : je me méfiais plus que tout des épanchements nationalistes et des souvenirs que nous aurions inévitablement eus en commun, vu que nous avions, peu ou prou, le même âge.

Tous trois désiraient se rendre à Puerto Natales pour des raisons différentes : Klaingutti et Klappenbach, ainsi que le supposait notre logeuse fan d'Elvis, pour rejoindre ensuite le parc des Torres del Paine et randonner de refuge en refuge, et La Brea pour rencontrer « un client », avait-il indiqué sans plus de précisions. Paul et moi leur avions alors proposé de les embarquer le lendemain dans notre Opel de location, assez vaste pour accueillir, outre nous-mêmes, les trois zigs et leurs bagages respectifs. Ensuite de quoi nous les avions laissés, et nous étions rendus dans un restaurant panoramique d'où la vue sur le détroit de Magellan promettait d'être imprenable, ainsi que l'annonçait un panneau publicitaire à l'entrée – de fait il faut avouer qu'elle l'était, imprenable, et par surcroît magnifique en cette fin de journée, avec quelques chalutiers qui se croisaient au retour de pêche et un ou deux bateaux de touristes qui arrivaient sans doute d'Ushuaia ou du cap Horn. Plus tôt dans l'après-midi Paul et moi avions médité sur les rouages amers de la destinée en contemplant, le long de la route 9 qui descend vers le sud en direction de Puerto Hambre, ou Port-Famine, où périrent de froid et de malnutrition les premiers colons de la région à la fin du XVIe siècle, de magnifiques carcasses de voiliers, frégates, chalutiers et cargos qui rouillaient lentement sous un ciel immense et changeant, avec toujours cette mer gris métal, indéniablement photogénique. La lumière était belle, mais n'avait cependant rien à voir avec celles, somptueuses, qui nous seraient ensuite offertes depuis ce dernier étage du restaurant panoramique où nous avions dîné, Paul et moi, tandis que la nuit tombait comme un couvercle – elle tombe vite dans ces régions.

Et le lendemain matin, donc, nous étions partis tous les cinq. Nous roulions vers le nord depuis Punta Arenas, traversant des étendues arides parsemées de buissons noirâtres, de touffes d'herbes rases et d'arbres torturés – des paysages plats comme la Mancha, me disais-je en pensant à nos deux acolytes argentins, ou la Mongolie centrale, qui par la suite s'arrondissaient et dansaient sous de longues routes rectilignes et vallonnées à perte de vue qui tremblotaient à l'horizon, un peu semblables aussi à celles qui, depuis Los Angeles, mènent à la Death Valley californienne. Voici près d'un siècle encore il y avait là des forêts, mais depuis l'introduction du mouton anglais en Patagonie dans les années 1880, les estancieros avaient tout brûlé pour dégager des pâturages. L'espace cependant restait ouvert, non morcelé, et la Patagonie, qu'elle soit chilienne ou argentine, était un seul territoire : au printemps, les travailleurs de la côte Pacifique se déplaçaient vers la côte Atlantique sans aucun obstacle. Aujourd'hui tout était clôturé, et les routes partout longées de barbelés que les grands propriétaires avaient installés dans les années quatre-vingt-dix, lors de la grande privatisation des terres : propriété privée, barbelés, voilà qui était davantage conforme à leur idéologie. La conséquence était qu'à présent les hommes ne circulaient plus : la privatisation, le souci du rendement, la course au profit et à l'enrichissement de quelques-uns avaient tout interrompu. Le mince et rectiligne bandeau d'asphalte sur lequel nous avancions oscillait donc entre promesse d'évasion (il s'étirait jusqu'à l'horizon) et certitude d'enfermement (coincé entre deux rangées de barbelés). Entre les années 1880 et 1990, il n'avait donc fallu qu'un peu plus d'un siècle pour passer de l'exploitation forcenée des terres, associée au progressif anéantissement des populations indiennes, à la victoire inéluctable et définitive de l'idéologie néolibérale occidentale – ce dernier point outrepassant par ailleurs largement les frontières de la Patagonie.

La voiture nous transportait, le paysage défilait, le moteur ronronnait, et un équilibre s'installait, si bien que les conversations inévitablement roulaient elles aussi, au rythme de notre avancée. Les deux Argentins étaient en vacances et s'apprêtaient à randonner pendant cinq jours. Ils travaillaient ensemble, tous deux chercheurs en biologie animale, mais dans deux branches différentes : Herbert « Quichotte » Klaingutti était spécialiste des tardigrades, et Emilio « Sancho » von Klappenbach des rotifères bdelloïdes. Bien entendu Paul et moi n'avions jamais entendu parler de ces bestioles. La Brea non plus, semblait-il, qui ouvrait ses petits yeux bleus d'un air exagérément intéressé. Devant notre ignorance affichée les deux Argentins se regardèrent en complices, sûrs de leur effet. Ils nous expliquèrent avec gourmandise qu'il s'agissait d'animaux presque invisibles, entre 0,1 et 1,5 mm pour les tardigrades, entre 0,05 et 3 mm pour les rotifères. Les deux étaient doués de propriétés surprenantes. Les premiers, en gros, étaient indestructibles, et les seconds se reproduisaient de manière asexuée. Puis, chacun à son tour, ils nous détaillèrent les caractéristiques de leur objet d'étude favori.

À l'issue de ce double exposé, Paul demeura interloqué. Les tardigrades surtout l'épataient. Je pouvais le comprendre : ces – comment dire – animaux avaient colonisé la planète, des sommets les plus hauts de l'Himalaya jusqu'au fond des fosses sous-marines. Plus de mille espèces étaient répertoriées. Ils pouvaient endurer des doses radioactives mille fois supérieures à celles que l'homme était en mesure de tolérer, survivre sans eau en s'autodesséchant jusqu'à ce qu'ils soient réhydratés, survivre aussi dans le vide absolu, et résister à des températures allant de − 272 °C à + 300 °C. Sous l'effet de contraintes extérieures dommageables à leur survie, ils pouvaient entrer en cryptobiose, c'est-à-dire état de non-vie, y demeurer une dizaine d'années, et ressusciter ensuite. En plus ils étaient très mignons, assurait Klaingutti avec un sourire chevalin : ils ressemblaient à des oursons à huit pattes. On pourrait presque en faire des peluches.

— Tu imagines ? me dit Paul, enthousiaste. Ton environnement devient trop hostile, hop, tu plonges en non-vie, et dix ans après tu ressuscites comme si de rien n'était. Si c'était possible pour nous, je l'aurais déjà fait.

— Le rêve, approuvai-je. Reste à définir ce qu'est la non-vie.

À côté de ces bestioles, les rotifères bdelloïdes faisaient pâle figure, bien qu'Emilio von Klappenbach les défendît avec fougue, comme s'il s'agissait d'un match d'une suprême importance entre Klaingutti et lui, son visage rond parcouru de frémissements d'excitation, les yeux écarquillés, agitant les mains, parlant vite, soulignant la tolérance presque aussi exceptionnelle de ses protégés à la dessiccation, leur capacité à régénérer leur ADN en cas de forte irradiation, et leur particularité, à savoir la reproduction asexuée, dont il nous indiqua les caractéristiques à grands coups de gamètes, de génome et de parthénogénèse à quoi nous ne comprîmes goutte, surtout dans l'anglais mâtiné d'espagnol qui nous servait de langage commun. L'étonnant, souligna-t-il dans un large sourire, est qu'on n'a jamais observé que des femelles chez les bdelloïdes, jamais de mâles – jamais ! insista-t-il en levant un index professoral.

– Des femelles s'auto-engendrant sans l'aide de mâles, chuchotai-je à Paul en français, c'est le cauchemar de tous les hommes. Il faut faire taire ce dangereux malade.

Et le paysage continuait de défiler, monotone, superbe et ras. Une fois ce double exposé terminé, nous nous étions tous tus. La radio de bord diffusait des soupes américaines, que La Brea connaissait peut-être par cœur – de temps en temps, il les accompagnait en fredonnant. Parfois aussi il posait des questions à Klaingutti et Klappenbach sur les laboratoires privés en Argentine, le niveau de vie, le coût de l'immobilier, le prix de l'essence. Peut-être avait-il l'intention de s'établir là-bas. Lorsque nous fîmes halte pour pisser au milieu d'une plate immensité, sans le moindre arbre pour nous donner l'illusion de prévenir les regards importuns – mais lesquels ? pas une voiture ne passait –, nous nous avisâmes de la présence de guanacos qui, surgis de nulle part, se dirigèrent vers nous avec grâce, sans doute dans l'espoir de quelque nourriture. Plus loin, des nandous picoraient le sol en nous ignorant superbement. Comprenant que nous n'avions rien pour eux, les guanacos déçus se tenaient à bonne distance, nous regardant de leurs yeux noirs et doux, ourlés de longs cils.

Plus tard nous nous arrêtâmes dans une cafétéria de bord de route nommée Ruta Sur. Le silence était à peine troublé par un vent discret mais constant, qui faisait grincer une éolienne à côté, comme dans certains films. Les drapeaux multicolores de dizaines de nations décoraient la façade. Tout autour la plaine était immense et vide, à l'exception des quelques troupeaux de guanacos qu'on apercevait au loin, au-devant de modestes collines. Si l'expression n'avait pas été si galvaudée, j'aurais volontiers dit que nous étions au milieu de nulle part. Mais comme elle l'était, je le gardai pour moi. La Brea, lui, ne se posa pas tant de questions, et nous informa que nous nous trouvions présentement *in the middle of nowhere*. Nous entrâmes. L'intérieur était envahi de bibelots d'un goût plus que douteux, pire encore que celui de ma mère. Au bout de quelques secondes une femme blonde un peu trop maquillée, à l'aspect et, nous le constaterions bientôt, l'accent allemands, émergea de derrière un rideau de perles colorées, suivie d'une Indienne aux longs cheveux noirs et aux lèvres épaisses. Nous étions peut-être les seuls clients de la journée. Je me demandai qui donc s'arrêtait là, hormis quelques touristes de passage, qui ne devaient pas être légion. Je notai cependant, et non sans intérêt, derrière le comptoir envahi d'anges, de tulipes en tissu et de Vierges à l'enfant, la présence d'une authentique machine à expresso.

Nous nous assîmes autour d'une petite table ronde revêtue d'un tissu à carreaux rouges et verts.

La barmaid allemande prit notre commande, remplit chopes et tasses, et nous servit. Elle avait l'air un peu triste. Nous trinquâmes.

Quelques secondes plus tard, après avoir avalé une profonde gorgée de sa bière, exhalé un profond soupir, et s'être bruyamment essuyé la bouche du dos de la main, Wilfried La Brea s'installa plus confortablement sur sa chaise, nous regarda tous les quatre l'un après l'autre, et prit soudain la parole.

– *Gentlemen*, dit-il, puisque nous avons quelques minutes devant nous, j'aimerais vous entretenir de quelque chose qui me tient à cœur – si cela ne vous dérange pas, bien entendu.

Nous nous regardâmes d'un air neutre. Je haussai les épaules. D'un geste de la main, Paul et les deux autres l'invitèrent à continuer.

Histoire de Wilfried La Brea, propriétaire de la Lune, de Mars et de Vénus

Si je me permets de solliciter ainsi votre attention, *gentlemen*, commença Wilfried La Brea d'un air un peu gêné, et m'apprête à vous raconter tout ce qui va suivre, c'est que je me dis que la proposition que je vais vous faire ensuite vous intéressera peut-être – et puis nous avons du temps devant nous, n'est-ce pas... (Il prit sa respiration.) Il me faut remonter presque un quart de siècle en arrière. Je me lance donc : en 1990 (et là il baissa les yeux, comme si la première phrase de son récit consistait en un événement si honteux qu'il n'osait le révéler autrement qu'en adoptant un air contrit), je venais de perdre mon emploi de vigile à la Colorado State Bank de Boulder, ma ville natale, que je n'avais jamais quittée. À cette époque j'étais célibataire et sans enfants (je le suis toujours), peu proche de mes parents (à présent décédés tous deux), dont je n'avais plus de nouvelles depuis qu'ils coulaient une retraite oublieuse quelque part en Floride. Je ne me sentais donc aucune attache, et décidai de partir. À dire la vérité, continua La Brea en levant les yeux et hochant la tête, sourcils froncés et moue soucieuse, j'étais assez désespéré, et ne savais que faire de ma vie. Je pensai tout d'abord gagner le désert de l'Utah, y trouver une grotte et y vivre le restant de mes jours. Puis je m'avisai que les conditions de survie là-bas étant ce qu'elles étaient, le restant de mes jours risquait de ne pas représenter grand-chose. Et le désert de l'Utah, je l'avais souvent traversé en voiture, il me semblait le connaître un peu trop. Or c'était d'inconnu que j'avais besoin. Non, fit La Brea en secouant la tête de gauche à droite, l'Utah, très peu pour moi. J'envisageai alors de partir n'importe où au bout du monde pour y refaire ma vie en ermite, loin de tout, loin en tout cas de ce Colorado ingrat qui m'avait rejeté. Mais comment faire ? Même en considérant l'expression « bout du monde » d'un simple point de vue métaphorique, même s'il n'était pas besoin de partir en Sibérie ou en Patagonie vu qu'il y avait au sein même des États-Unis des bouts du monde où il serait sans doute aisé de m'isoler pour le restant de mes jours, en Alaska par exemple, ou dans les Rocheuses, voire dans des coins reculés de Louisiane ou du Montana, je n'avais jamais bougé de Boulder, Colorado, et ignorais totalement comment m'y prendre pour partir vivre en solitaire dans les bois, sur une île ou dans une grotte. Cela ne s'improvisait pas. Rendez-vous compte, fit La Brea en écarquillant ses petits yeux bleus, je n'étais même jamais (il insista : *ja-mais !*) parti camper tout seul en pleine nature. Si bien que l'idée me parut rapidement irréalisable, et je l'abandonnai.

Le temps passa. Je déprimais sec. Mes ressources diminuèrent très vite, si bien que je dus quitter mon appartement et vivre dans une caravane. J'étais sans amis, et sans argent. Je cherchais un emploi, mais ne trouvais rien, sauf quelques semaines d'intérim par-ci par-là dans un fast-food à gaver de nourriture infâme des hordes d'ados dégénérés et boutonneux, ce qui me semblait une forme de déchéance, même si je faisais mon possible, je vous assure, pour paraître détendu, souriant et serviable. Je me mis à boire plus que de coutume. Je grossis – je n'étais déjà pas maigre. Le soir, baissa-t-il à nouveau les yeux, je me masturbais devant de mauvais pornos.

Il s'interrompit et avala une autre profonde lampée de bière. Ayant terminé son verre, il fit un grand geste à l'adresse de la barmaid allemande qui derrière le comptoir essuyait des verres d'un air absent, pleinement concentrée pourtant sur les propos que tenait ce grand et gros États-Unien aux petits yeux bleus extrêmement mobiles qui lui faisaient penser à ceux de son grand-père maternel Werner, qu'elle n'avait plus vu depuis vingt ans, un ancien cordonnier à présent nonagénaire de la région de Regensburg, en Bavière, où elle avait passé tous les étés de son enfance entre deux rivières, ou plutôt une rivière et un fleuve, la Regen et le Danube, le long desquels elle faisait en compagnie de ses frères et sœurs et de quelques amis, tous quant à eux restés au pays, de longues promenades à vélo entrecoupées de baignades et de pauses pique-nique dans des *Biergarten* ombragés, jusqu'à ce qu'elle rencontre un jour le bel Alessandro, un Chilien d'origine italienne qui terminait ses études à l'université où il venait de présenter un mémoire sur Cervantès, Alessandro dont elle tomba amoureuse et qui lui proposa de l'accompagner à Santiago, où ils s'établirent quelques années jusqu'à ce qu'Alessandro, las d'enseigner en collège, et venant d'hériter d'un de ses oncles ce troquet en bord de route à l'extrême sud du pays, lui proposât de s'y établir, et c'est ainsi que, mus par un commun

désir de larguer les amarres et démarrer une vie nouvelle et peut-être aventureuse dans cette Patagonie
dont le nom et les grands espaces les faisaient rêver,
ils débarquèrent à Punta Arenas, roulèrent vers
Puerto Natales, prirent possession du bar-cafétéria
Ruta Sur qu'ils aménagèrent et dans lequel ils travail-
lèrent pendant dix ans ensemble, jusqu'à ce qu'Alessandro mourût d'un accident vasculaire cérébral, et à
présent elle était là à essuyer des verres derrière son
comptoir face à la plaine infinie, loin du monde et de
tout, loin des prés verts et des rivières de son enfance,
loin des rires et des baignades, loin de la jeunesse,
loin de la langue allemande, à se dire qu'un jour elle
retournerait sans doute entre Danube et Regen, mais
pour l'instant elle était là, à espérer qu'un touriste de
passage fasse une halte pour la distraire de son quotidien sauvage et monotone, comme venaient précisément de le faire ces cinq types dont, à ce qu'il lui
semblait, trois pouvaient être chiliens ou argentins,
un autre chinois ou d'origine chinoise, et enfin ce
grand et gros États-Unien qui, alors qu'il racontait
sa vie aux quatre autres qui l'écoutaient sans rien
dire, venait de lui faire signe pour qu'elle remplisse
à nouveau son verre de bière, à quoi elle obtempéra
en silence, ne pouvant s'empêcher cependant, tandis qu'elle posait la chope sur la table, de plonger
ses yeux dans ceux, mobiles et bleus, de cet Américain qui ressemblaient tant à ceux de son grand-père
maternel dont elle se prit soudain à penser que c'était
réellement lui qui, à vingt mille kilomètres d'ici, lui
adressait un signe depuis l'intérieur de ce gros États-
Unien, lui enjoignant de tout quitter, d'enfin laisser
tomber ce bar-cafétéria d'un bord de route déserte
au bout du bout du monde, et de rentrer au pays,

de rejoindre sa patrie, *ihre Heimat*, mais pour cela, pensa-t-elle en retournant derrière son comptoir, il fallait que son grand-père lui adressât un autre signe, lui indiquât un peu mieux comment procéder, l'aidât davantage qu'en lui lançant simplement ce regard si familier prisonnier à l'intérieur du corps d'un grand et gros Américain bavard et, par surcroît, coiffé d'un Stetson qu'il n'avait pas pris la peine d'enlever en entrant.

Bref, reprit La Brea une fois qu'il fut servi, vous aurez compris que je filais du mauvais coton. Je commençais même à envisager sérieusement le suicide.

Il renversa la tête en arrière et avala une grande rasade. Puis il fit claquer sa langue.

Depuis l'enfance, reprit-il, je n'avais que deux passions : le football américain et la conquête spatiale. Comme je m'ennuyais, je lisais des magazines, ou surfais pendant des heures dans le Red Rock Internet Coffeehouse de la 28e Rue, car bien entendu je n'avais pas même de quoi me payer un ordinateur. C'est ainsi qu'un jour, en lisant sur le Net un article qui traitait de l'exploration future des lunes et planètes du Système solaire, j'eus soudain une idée qui changea le cours de ma vie. La Terre est intégralement découverte, me dis-je, il n'y a plus rien à explorer, rien à posséder, la totalité de la planète est à présent saturée. L'espace en revanche est infini et vierge de présence humaine. Il suffit d'en être propriétaire, et d'en vendre des parcelles à ceux que ça intéresse.

J'eus donc une idée toute simple : je décidai de collectionner les corps célestes. C'était un investissement à long terme. L'idée aurait pu sembler farfelue à toute personne dotée d'un solide bon sens. Heureusement, le bon sens n'a jamais été ce qui caractérise le mieux

199

Wilfried La Brea, fit-il en éclatant d'un rire gras – et c'est ainsi que je partis bille en tête dans ce projet ambitieux.

Le bon sens n'était pas mon fort, répéta-t-il, mais j'ai toujours été quelqu'un d'extrêmement méthodique et opiniâtre. Je commençai par examiner le traité de l'Espace, datant de 1967, dont un article stipulait que « *l'espace extra-atmosphérique, y compris la Lune et les autres corps célestes, ne peut faire l'objet d'appropriation nationale par proclamation de souveraineté, ni par voie d'utilisation ou d'occupation, ni par aucun autre moyen* ». J'en conclus qu'il s'agissait de terrains dont aucun État n'était propriétaire, mais qu'un individu qui le désirerait pouvait l'être. Je décidai donc de me déclarer unilatéralement propriétaire unique de la Lune, de Mars et de la planète Vénus : la Lune parce que c'est la porte à côté, Mars pour les petits hommes verts, et Vénus pour la déesse de l'Amour.

Ayant prononcé ces mots, il avala une autre imposante gorgée de bière, guettant du coin de l'œil la réaction de ses compagnons de voyage, qui se regardaient en écarquillant les yeux pour ce qui concernait les deux Argentins, en fronçant les sourcils d'un air vaguement incrédule pour les deux autres, dont La Brea d'ailleurs n'avait pas bien saisi de quelle nationalité ils étaient, en le fixant d'un air neutre pour la barmaid derrière son comptoir, dont il avait compris qu'elle écoutait attentivement ses propos, ce qui ne le dérangeait aucunement, bien au contraire, il adorait se donner en spectacle et se trouver au centre de l'attention et des regards de chacun.

Ensuite, continua La Brea, je revendiquai la propriété juridique de ces trois planètes auprès des

Nations unies dans une lettre indiquant que mon intention était de subdiviser mes propriétés extra-terrestres, afin de pouvoir vendre les parcelles aux personnes qui le désireraient, sans toutefois nier à chaque nation de la planète un droit d'exploration. Comme je ne reçus aucune réponse, j'en conclus qu'aucun gouvernement de la planète ne contestait ma revendication, qui se trouva par là-même automatiquement entérinée.

Enfin, ainsi que je l'avais prévu, je subdivisai mes propriétés en parcelles, et en proposai l'achat à des particuliers. La parcelle la plus petite faisait un demi-hectare, la plus grande 2,6 millions d'hectares.

Et cela marcha au-delà de toutes mes espérances ! s'exclama-t-il. Les clients affluèrent et les parcelles se vendirent rapidement, si bien qu'aujourd'hui, une vingtaine d'années après avoir débuté dans ce commerce florissant, j'exerce cette activité à temps plein, et n'ai aucune autre source de revenus. J'ai vendu, *gentlemen*, 300 millions d'hectares sur la Lune, 160 millions sur Mars et 50 millions sur Vénus. Les parcelles les plus vendues sont celles d'environ 1 000 hectares. Elles coûtent à peu près 5 000 dollars. J'ai 6 millions de clients, dans 193 pays. Le propriétaire le plus jeune est un nouveau-né argentin, peut-être le fils ou le petit-fils d'une de vos connaissances, *señores*, fit-il en inclinant la tête du côté de Klappenbach et Klaingutti qui se fendirent d'un sourire poli, et le plus âgé est un Bavarois de 97 ans.

À l'évocation de ce client de La Brea, dont l'âge et la région correspondaient parfaitement à ceux de son grand-père maternel, la barmaid allemande du bar-cafétéria Ruta Sur hésita à interrompre le gros États-Unien pour lui demander s'il se souvenait du nom de ce vieux Bavarois, mais elle ne le fit pas, ne se manifesta aucunement et ne montra rien de ce désir qu'elle avait eu, estimant qu'après tout cela n'avait aucune importance, et que le fait que le vieux Bavarois en question fût ou non son grand-père Werner ne changeait rien à l'affaire, puisqu'elle attendait un signe et qu'il venait, à sa grande surprise, de survenir. Et aussitôt sa décision fut prise, car c'est ainsi parfois, obéissant à une impulsion à partir d'infimes et discutables signes qu'on interprète d'une manière ou d'une autre, que se prennent les décisions les plus fondamentales.

Imaginez-vous, *gentlemen*, continua Wilfried La Brea, que parmi mes clients je suis heureux de compter des hommes politiques du monde entier, dont trois anciens présidents des États-Unis : Jimmy Carter, feu Ronald Reagan et George W. Bush. Bien entendu ils n'ont pas acheté les terrains eux-mêmes, précisa-t-il en souriant : ce sont les assistants de Carter et de Reagan qui les leur ont achetés, et pour George W. Bush, il s'agissait simplement d'un cadeau d'un de mes clients à ce président qu'il jugeait injustement décrié, et à qui il voulait témoigner son admiration. Il y a également près de 2 000 grandes sociétés qui m'ont acheté des terrains sur la Lune avec un but précis, enchaîna-t-il, dont les chaînes d'hôtels Hilton et Marriott. On peut donc raisonnablement prévoir d'ici quelques décennies un tourisme lunaire en pleine expansion, fit-il avec un clin d'œil appuyé.

Lorsque vous achetez une parcelle de la Lune, de Vénus ou de Mars, continua-t-il, vous recevez un exemplaire de la « Constitution lunaire ». Il s'agit de la Constitution du « gouvernement galactique » que j'ai instaurée afin de protéger mes propriétés.

Plus de 150 000 personnes ont participé à sa ratification. C'est ainsi que ce gouvernement galactique est à présent une nation souveraine, oui *gentlemen* !, une nation tout ce qu'il y a d'efficace et complète, avec une Constitution en vigueur. Nous entretenons actuellement des relations diplomatiques avec trente gouvernements. Notre but étant de rejoindre le FMI, nous essayons de nous faire reconnaître par le maximum d'États. Le gouvernement galactique possède sa propre monnaie, qui n'est pas encore frappée, mais qui peut l'être à tout moment – et ce, précisa La Brea en baissant d'un ton, si bien que la nostalgique barmaid allemande dut tendre l'oreille pour saisir ce qui se tramait là-bas, autour de cette petite table ronde où quatre hommes écoutaient un cinquième leur raconter une histoire invraisemblable dans laquelle elle retenait surtout la mention qu'il avait faite d'un Bavarois de 97 ans qui pouvait être son grand-père, et ce, *gentlemen*, grâce aux formidables réserves d'hélium 3 dont regorge la surface lunaire. Connaissez-vous l'hélium 3, *gentlemen* ? fit-il d'un air mystérieux, en se penchant sur le plateau de la petite table, comme pour révéler un secret qui ne dût être entendu que d'un minimum de personnes. Il s'agit d'une extraordinaire source d'énergie, très rare sur Terre et fort abondante à la surface de la Lune, où on l'estime à 100 000 tonnes environ – or il faut que vous sachiez que 200 tonnes suffiraient à combler les besoins annuels des États-Unis et de l'Europe. Si vous ajoutez à cela le fait que les coûts d'exploitation seraient par ailleurs sept à huit fois moins onéreux que ceux nécessaires à l'extraction du pétrole, et que ce carburant fournirait par surcroît une énergie parfaitement propre, vous comprendrez qu'il ne fait aucun doute que l'hélium 3 sera le carburant de demain. Or c'est nous, gouvernement galactique, qui l'avons en notre possession, et qui en approvisionnerons la Terre d'ici peu. Car ce n'est pas tout, *gentlemen*, poursuivit La Brea sur le même ton : grâce à un système de propulsion qui fonctionne sans gravité, et que nous, gouvernement galactique, avons fait breveter, un engin pourra bientôt faire le trajet de la Terre à la Lune en trente minutes. Trente minutes, *gentlemen* ! répéta-t-il en dressant soudain le torse et levant un index au plafond. Nous espérons ainsi être sur la surface de la Lune en 2020, et y construire la première ville. Je peux d'ores et déjà vous révéler qu'il s'agira d'une immense pyramide haute de deux kilomètres et demi, sur une base de trois kilomètres carrés. Il sera possible d'y abriter près de 70 000 personnes. Chaque gouvernement de la planète pourra y être représenté et disposer d'un bureau. Il y aura des restaurants, des théâtres et des hôpitaux. Il y aura aussi des étages réservés à l'agriculture et au bétail. Bien entendu mon entreprise s'implantera là-bas.

Bref, conclut Wilfried La Brea en haussant le ton et ouvrant les bras, tout ce qu'on trouve dans les villes de cette planète se trouvera dans cette ville sur la Lune. Alors, si cela vous intéresse, *gentlemen*, je peux vous faire un prix : trois dollars l'hectare – c'est une affaire, je vous assure ! Et si vous préférez un peu plus de tranquillité, il y a aussi d'intéressantes parcelles sur Vénus. Pour ma part, je vous les recommande, car Vénus est ma planète favorite, vous vous doutez pourquoi : parce que c'est le nom de la déesse de l'Amour, bien entendu ! « La tête dans les étoiles et le cœur prêt à chavirer », telle est ma devise. Plus exactement, c'est en souvenir de ce tableau dont j'avais vu la reproduction quand j'étais enfant chez mes parents, le tableau d'un Italien dont j'ai oublié le nom, Monicelli peut-être, qui représentait Vénus sortant nue des flots, légèrement déhanchée, les pieds reposant ou plutôt flottant au-dessus d'une coquille vide qui lui avait été berceau, tandis que ses longs cheveux bouclés recouvraient chastement son anatomie, que ses mains cachaient à peine ses seins menus, qu'autour d'elle la nature s'éveillait, et que soufflait un doux zéphyr sous la forme d'un ange dont les joues gonflées expulsaient un petit vent qui ridait la surface des eaux, tandis qu'une jeune femme s'apprêtait à recouvrir sa nudité d'un délicat manteau floral, et cette Vénus italienne avait été pour moi, pendant toute mon enfance, une espèce d'idéal féminin que je me suis toujours efforcé de retrouver – ce qui explique probablement, *gentlemen*, qu'à l'âge qui est le mien je suis toujours célibataire, fit-il en riant et s'épongeant le front, comme épuisé par le long laïus qu'il venait de prononcer. Vénus, la planète de l'amour, à prix plus qu'abordable, *gentlemen*, vous devriez en profiter ! continua-t-il. Et vous aussi, mademoiselle, lança-t-il à la barmaid allemande qui songeait à présent au délai qu'elle s'accordait pour rassembler ses économies, régler la vente du bar-cafétéria Ruta Sur à son adjointe Teresa, l'Indienne aux longs cheveux noirs qui, n'entendant rien à la conversation, avait vite regagné la cuisine derrière le rideau multicolore, et dont elle savait qu'elle serait intéressée, et mettre tout en œuvre pour rentrer chez elle entre Danube et Regen, retrouver les fleuves et les prés, les promenades à vélo et les *Biergarten*, les pâtisseries bavaroises et les centres-villes aux façades médiévales – à vous aussi, mademoiselle, je suis disposé à accorder le même tarif préférentiel pour peu que vous consentiez à m'apporter une autre bière, et à servir également mes amis ici présents. Puis il poursuivit : Il y aura beaucoup moins de monde sur Vénus que sur la Lune, c'est sûr, *gentlemen*, vous serez plus tranquilles, mais enfin, il faut bien reconnaître qu'il y fait nettement plus chaud, et qu'il faudra trouver des solutions pour s'y établir durablement, et c'est pourquoi le projet n'est pas encore vraiment arrêté, au contraire de celui concernant la Lune, conclut-il avec un grand sourire en terminant sa bière et renversant son Stetson vers l'arrière de son crâne pour, à nouveau, s'éponger le front et guetter d'un air impatient la barmaid allemande qui terminait de remplir les cinq chopes d'une bière qui, elle, ne l'était pas.

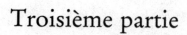

Troisième partie

Rosario

9 février

Lorsque j'étais enfant, j'avais la tête dans les étoiles. Je collectionnais des vignettes colorées représentant aussi bien les principales étapes de la conquête spatiale que les projets qui ne manqueraient pas de voir le jour dans un futur pas si éloigné, comme la « domestication » de comètes, la construction de villes sur la Lune et sur Mars, ou l'exploration de mondes plus lointains par des robots téléguidés depuis la Terre. Ces vignettes étaient à l'intérieur de tablettes de chocolat que Georges et moi ne nous faisions pas prier pour avaler le plus vite possible afin que notre mère nous en achète d'autres, où nous trouverions de nouvelles vignettes à collectionner. Nous les collions dans un album réservé à cet effet, avec une colle blanche qui sentait bon l'amande amère. Je n'avais pas dix ans quand j'avais vu à la télé Neil Armstrong fouler le sol lunaire en direct. J'étais à Buenos Aires, dans la grande maison d'Adrogué, et Georges était à mes côtés, tout comme mes parents. Je me souviens que mon père était enfoncé dans son fauteuil marron, ses longues jambes croisées haut, et qu'il fumait. Il me semble aussi revoir ma mère affublée de bigoudis (qui donc utilise encore ces machins aujourd'hui ?) mais je me trompe peut-être : à ce que j'en sais, les bigoudis se portaient rarement au moment du coucher, or il était presque minuit. Pour l'occasion, Georges et moi avions eu la permission d'aller au lit plus tard que d'habitude. J'étais excité comme une puce. L'image noir et blanc tremblotait. On entendit la voix crachotante et comme essoufflée d'Armstrong prononcer la fameuse phrase qu'il avait apprise par cœur avant le décollage. Aldrin le rejoignit. J'éprouvais une extraordinaire compassion pour le troisième astronaute, Collins, qui avait fait tout ce voyage pour rester à l'intérieur de l'engin et se borner à regarder ses compagnons avancer sur la surface lunaire, sans pouvoir les rejoindre. Je crois que j'avais été vaguement déçu par l'aspect trop peu spectaculaire de la scène : après tout il ne s'agissait que de gros bonshommes Michelin à tête de bulle en train de sautiller gauchement et soulever la poussière d'un sol trop clair sur fond trop noir. Cela ne m'avait pas empêché, cette nuit-là, de rêver d'étoiles, de vaisseaux spatiaux et de planètes inconnues, mais peut-être était-ce précisément en raison de cette relative déception, histoire de compenser par la puissance de l'imaginaire la rude déchéance du réel – toujours la même vieille histoire, qui ne finit jamais.

Ce devait être juste avant, ou juste après, je ne me souviens plus très bien, l'hépatite qui nous avait cloués au lit Georges et moi, et la visite du docteur Hyades, qui nous avait légué la médaille de son grand-père.

Je me souviens aussi que, dans cet album de vignettes richement colorées, il était également question d'extraterrestres et de l'existence possible des ovnis. Des vues d'artistes, comme on dit, représentaient les paysages de Mars et de Vénus. Mars était rouge et aride sous un ciel noir, Vénus brumeuse et couverte de jardins aux fleurs gigantesques, les Martiens sans surprise petits et verts avec un crâne pointu et d'immenses yeux d'insectes, et les Vénusiens grands et blonds, tout à fait humanoïdes, revêtus de combinaisons brillantes. J'en dessinais souvent, de ces Vénusiens, dans mes cahiers, et je m'essayais parfois à l'écriture de courtes histoires mettant en scène de belles et dangereuses Vénusiennes séduisant de fragiles humains, ou de hardis explorateurs découvrant le long des canaux asséchés de Mars ou au cœur des plaines brûlantes de Vénus des fossiles d'animaux gigantesques et les traces de civilisations disparues.

J'imaginais beaucoup de choses, que je dessinais parfois, rédigeais souvent, des histoires qu'en général j'avais du mal à terminer, mais jamais – jamais ! – je n'aurais cru rencontrer un jour en chair et en os le propriétaire de la Lune, de Mars et de Vénus. J'avoue que j'ai été épaté. Histoire peut-être de rester fidèle au gamin passionné d'espace que j'étais, je n'ai pas été loin de faire comme des milliers d'autres gogos, et lui acheter quelques dizaines d'hectares de Vénus et de Mars – la Lune m'intéresse moins, souvenir sans doute de ma relative déception en voyant Armstrong effectuer ses tout petits pas de géant pour l'humanité.

D'ailleurs il n'est pas dit que je ne le fasse pas un jour : j'ai sa carte de visite.

« Vous allez à Puerto Natales ? » nous avait demandé hier d'un ton vaguement dédaigneux notre logeuse-rockeuse Manuela qui avait quelques idées bien arrêtées sur cette ville, berceau de l'anarchisme dans les années vingt, et sur ses habitants, tous considérés de ce fait comme bordéliques, pas sérieux et rebelles – réserves qui nous avaient passablement étonnés, Paul et moi, provenant d'une rockeuse affirmée, dont nous aurions attendu davantage de sympathie à l'égard du désordre et de la rébellion. Bien entendu elle pouvait admettre que nous nous y arrêtions une nuit sur le chemin des Torres del Paine, puisqu'il était inévitable d'y passer, et que c'était sans doute pour cela que nous étions là, n'est-ce pas, pour aller randonner dans le parc naturel, comme tout le monde (nous avions pris soin de ne pas la démentir), mais enfin, Puerto Natales en soi n'a aucun intérêt, c'est minuscule, sale et moche, vous verrez, Punta Arenas vaut davantage le coup – même si on s'y ennuie parfois un peu, avait-elle concédé.

« Vous arrivez de Punta Arenas ? » nous a demandé plus tard d'un air identiquement, et exagérément, dédaigneux Chiquita, notre logeuse de Puerto Natales, une vieille dame rigolarde aussi large que haute, d'ascendance indienne pas très lointaine probablement, qui tient une pension proprette et fleurie, quasi suisse, bien loin du bordel et de la saleté évoqués par la groupie d'Elvis, appelle ses clients mâles « *mi amorrrr* » en roulant exagérément le *r* de façon ostentatoire, et entretient sur Punta Arenas les présupposés inverses, à savoir qu'il s'agit d'une métropole prétentieuse uniquement préoccupée de faire du fric, où le cynisme domine, et abondent les arnaques – à l'entendre, Wall Street à côté, c'est la fondation Mère Teresa.

Inutile de préciser que Punta Arenas est tout aussi bordélique, ou aussi peu, que Puerto Natales, laquelle, si elle a été un jour le berceau de l'anarchisme, voit aujourd'hui ses rues envahies de trekkeurs bobos et de touristes – dont, par ailleurs, nous sommes.

Le soir, au restaurant El Asador patagónico, Paul et moi reparlons de La Brea. Nous sommes d'accord : le type est fou, cela ne fait aucun doute. Même si cette histoire de propriété est authentique – et nous sommes certains qu'elle l'est, ce genre de faille juridique existe à coup sûr, si bien que n'importe quel illuminé doit pouvoir se prétendre propriétaire des corps célestes (peut-être sont-ils des milliers à s'être autoproclamés propriétaires de la Lune et à en vendre des parcelles à des gogos, et tant qu'il y en a pour les leur acheter c'est tant mieux pour eux) –, le reste est du grand n'importe quoi. Son histoire de monnaie qu'il peut frapper à tout instant, par exemple. Et surtout ce système de propulsion sans gravité qui lui permettrait de gagner la Lune en trente minutes d'ici quelques années.

– Remarque bien, me dit Paul en remplissant nos verres, que ce n'est pas beaucoup plus invraisemblable que ces bestioles qui survivent aux radiations, à la dessiccation, aux températures les plus extrêmes, et qui plongent en état de non-vie pendant des années avant de ressusciter. Ou les autres, là, celles qui se reproduisent sans mâles.

Nous trinquons.

– Tu as peut-être raison, dis-je. Dans le domaine de la science comme dans celui de l'horreur, la réalité est toujours plus inventive que la fiction, c'est bien connu.

Le vin est excellent. Je commande deux portions d'agneau grillé à une serveuse dont la taille, le teint et la corpulence sont assez inhabituels dans ces régions : blonde, au moins 1,75 m, mince, bien roulée, mais à peu près aussi souriante qu'une Sibérienne dépressive coincée aux bords de l'Arctique.

Tout à l'heure nous avons laissé Klaingutti et Klappenbach à l'entrée de la ville, La Brea sur la grand-place, et avons rejoint la pension Magdalena tenue par la joviale et courtaude Chiquita. Avant que nous nous quittions, La Brea nous a donné à tous une carte de visite avec l'adresse de son site, sur lequel il est possible d'acheter en ligne des parcelles de la Lune, Mars et Vénus. Le client qu'il avait à voir le soir même est le propriétaire d'un des multiples magasins de vêtements de montagne qui abondent au centre-ville, pas très loin du restaurant où nous nous trouvons à présent. Comme le gars a acheté neuf cents hectares sur la Lune, La Brea a profité d'un voyage d'agrément en compagnie d'un de ses associés, qu'il a laissé à Ushuaia, et avec qui il va entreprendre bientôt une croisière dans le dédale de fjords, de péninsules et de glaciers de la côte chilienne, pour venir jusqu'ici remettre en mains propres à son client le certificat de possession, l'acte de vente et l'exemplaire de la Constitution lunaire.

Tout ceci, finalement, me semble plutôt sympathique. Complètement barré, mais sympathique. Pendant des années, riches Américains et grandes entreprises ont acheté à tout-va des pans entiers de la Patagonie argentine. Benetton par exemple s'en est approprié 900 000 hectares : l'exploitation des immenses plaines patagones était idéale pour la production de la laine destinée aux vêtements de la marque, et c'est ainsi que 280 000 moutons y produisent 6 000 tonnes de laine par an. Mais c'est au détriment de la population des Indiens Mapuches, à qui ces terres ont été confisquées. Les ventes de La Brea, au moins, ne dépossèdent personne, à l'exception des naïfs qui achètent de leur plein gré leurs centaines ou milliers d'hectares sur la Lune, Mars ou Vénus.

Depuis que La Brea nous avait raconté son histoire de propriétés extraterrestres dans le petit boui-boui sur la route de Puerto Natales, le grand Klaingutti et le dodu Klappenbach semblaient, dans la voiture, se défier de lui. En tout cas ils ne lui adressaient plus la parole, se bornant à répondre poliment aux questions lorsqu'il y en avait, mais du bout des lèvres. Ils le prenaient sans doute pour un dangereux illuminé. J'imaginais pourtant que des scientifiques habitués à côtoyer journellement le genre d'ineffables bizarreries qui formaient leur objet d'études auraient pu se laisser séduire par la folie douce du gros businessman lunaire, mais non. Les rockeuses n'aiment pas le désordre, et les scientifiques un peu borderline se méfient des zozos. Les singularités demeurent étanches les unes aux autres, et les fantaisies incompatibles – même si ni Klaingutti ni Klappenbach n'auraient probablement été d'accord pour qualifier de « fantaisies » les oursons à huit pattes et autres microscopiques amazones.

La grande blonde nous apporte les plats. Je lui adresse un sourire enjôleur, auquel elle répond d'un regard morne. Aime-t-elle à la fois le rock et l'ordre établi, elle ? Achèterait-elle des terrains sur la Lune ? Elle est peut-être russe. Je lui demande son prénom : Ludmila, me répond-elle d'un air un peu agacé. Elle est russe. Comment a-t-elle atterri ici ? Je ne le saurai jamais : je n'ose pas le lui demander, et d'ailleurs rien ne dit qu'elle m'aurait répondu. Je me mets à imaginer qu'un de ses ancêtres, bien moins amène qu'elle, a peut-être croisé Louis Folcher quelque part en Russie il y a deux siècles, et cela me fait penser à mon oncle Vincent. Demain nous partons à Rio Verde.

Paul

11 février

Le temps était ensoleillé mais le vent soufflait fort. Le bateau, de plus, avait davantage des allures de hors-bord que de ferry-boat marseillais, si bien que l'eau glacée nous giflait sans cesse. Rosario était trempé et moi pas loin de l'être, malgré mon coupe-vent, ma parka et mon pantalon imperméables, ma capuche et mes lunettes. Seul notre nautonier, nommé Felipe, était au sec dans sa cabine, mal rasé casquette fourrée gros pull troué, se payant même le luxe de mâchonner un cigarillo d'un air absent. Nous venions de quitter Rio Verde, et nous dirigions vers l'Isla Larga.

La dernière sortie que j'avais faite en bateau c'était avec Yuyan, quatre mois plus tôt, en octobre. C'était beaucoup plus calme. Nous étions partis elle et moi à Porquerolles, où nous avions passé deux journées idylliques : soleil, douce chaleur, et personne autour. Je le lui avais rappelé sur la carte postale que je lui avais envoyée la veille de Puerto Natales (deux cygnes à col noir barbotant sur un fond de pics enneigés), où je lui disais que je m'apprêtais à naviguer pendant huit heures aller-retour sur une mer aux allures de lac vers une île déserte où avait vécu l'oncle de Rosario.

Je lui disais aussi qu'ici c'était l'été, et que les gens avaient bien de la chance que les hirondelles soient toujours là. Ce n'était pas tout à fait exact : d'hirondelle, je n'en avais pas vu une seule depuis que nous étions au Chili (quelques martinets à Valparaíso, voilà tout), mais j'avais supposé que cela la ferait sourire. Ensuite je m'étais dit que l'allusion à l'hirondelle de son prénom était peut-être trop transparente. C'était en tout cas la première fois que je lui laissais aussi clairement entendre à quel point j'étais désemparé depuis son départ. Sans doute pour contrebalancer ce que j'estimai par la suite avoir constitué un épanchement frisant l'indécence, je lui avais envoyé le même jour, depuis un micro-web-bar-disco aux décibels inversement proportionnels à la taille de l'endroit, un mail dans lequel je lui parlais très professionnellement du manuscrit de Chen Wanglin que j'étais en train de traduire, et pour lequel j'avais à lui poser deux ou trois questions relatives à diverses subtilités de la langue chinoise – questions dont les réponses pouvaient largement attendre mon retour en France, bien entendu, mais sans doute avais-je trouvé ce pré-texte assez commode : grâce à lui je pouvais écrire une fois de plus à Yuyan, mon hirondelle trop tôt envolée, dissimulant ce qu'en d'autres occasions je n'aurais pas été loin de considérer comme un accès de faiblesse sentimentale, voire de servilité amoureuse, derrière le paravent d'une acceptation provisoire des conseils de mon cher ami Rosario.

À Rio Verde, moyennant une somme rondelette, l'adjoint au maire nous avait fourni bateau et chauffeur pour aller récupérer les affaires de Vincent. L'Isla Larga se trouvait à environ quatre-vingts kilomètres du village, qui comptait moins de 400 habitants, mais dont dépendait la totalité des 5 000 kilomètres carrés de l'île Riesco. C'est au fond d'une profonde baie de cette île déchiquetée, loin vers l'ouest, que l'on trouverait, parfaitement abritée et totalement invisible de la mer d'Otway nous avait-on dit, sauf à connaître l'endroit et s'enfoncer très loin dans le fjord, cette Isla Larga où l'oncle de Rosario avait vécu vingt ans. Nous avions d'abord longé l'estuaire qui séparait Riesco de la péninsule Brunswick, puis avions filé plein ouest, le long de la rive sud où se succédaient les estancias et que bordait une route non asphaltée, sillonnée de gros camions appartenant à la mine Invierno qui, au grand dam des organisations écologistes et de quelques estancieros voisins, exploitait le charbon qui abonde dans la région. Ensuite, après une cinquantaine de kilomètres, il n'y avait plus ni estancias, ni mine, ni route, plus rien que la nature dense, inviolée. C'était la réserve des Alakalufs, du nom de ces Indiens aujourd'hui disparus, nomades de la mer qui vivaient là et dans tout le dédale inextricable d'îles, baies et péninsules qui découpent en dentelle la côte chilienne. Peu à peu le relief s'éleva, et nous longeâmes bientôt de hautes falaises couronnées de végétation, percées de puissantes cascades audevant desquelles planaient les condors.

Nous étions totalement gelés. Un peu trempés, aussi. Le soleil avait disparu derrière des nuages lourds de pluie. Le vent sifflait, l'eau nous fouettait le visage, et nous nous efforcions de camoufler du mieux que nous pouvions le moindre centimètre de peau au contact de l'air. Nous ne parlions pas. Felipe, imperturbable, continuait à mâcher son cigarillo en fixant l'horizon d'un air absent – horizon qui n'en était d'ailleurs pas vraiment un mais plutôt un verrou rocheux qui se rapprochait de plus en plus, et que l'on devinait percé de fjords étroits, dominés de toutes parts d'une théorie de sommets saupoudrés de neige. Ces sommets, ce ciel, cette mer n'avaient rien d'amical. Le monde était une immensité neutre et froide, hostile. Pourtant je me sentais bien. J'imaginais sur nous un regard de condor. Je m'imaginais condor moi-même, glissant sur les coussins d'air froid, avec au-dessous de moi la plaine grise de la mer traversée d'un point rouge sur lequel se devinaient deux silhouettes, le crachotement du moteur qui dominait parfois le bruit sec de l'air sur mes rémiges, les montagnes au loin, les courants aériens qui dessinaient autour de moi des promesses de fuite, et l'ivresse de l'instant, l'immersion dans le vent, l'éternité du monde, la vie toujours recommencée, à jamais cette immensité lumineuse, vide et froide autour de moi. Je me mis à penser à Klappenbach et Klaingutti, à leurs animalcules millimétriques qui résistent à tout, à La Brea et ses délires spatiaux, aux distances interplanétaires qu'il imaginait pouvoir couvrir en un rien de temps grâce à son hélium lunaire, à l'infiniment grand, à l'infiniment petit, à nous qui nous tenions au milieu, à la réalité de nos existences aux yeux de ce condor tout là-haut, et j'eus comme un vertige. Le monde était trop vaste. Trop complexe, trop ramifié, à la fois horizontal et vertical, dessinant entre les êtres et les choses un réseau arachnéen de correspondances, de causalités secrètes, de mystères qui n'en étaient peut-être pas, à l'élucidation desquels manquerait toujours la connaissance démiurgique de la totalité des faits dans leur succession, leur conjonction, leur simultanéité. Il y avait des tonnes de savoirs, des myriades de documents sur absolument tout, du mouvement aléatoire des photons à la structure des trous noirs rien n'échappait au recensement, au catalogage généralisé du monde, le moindre objet de connaissance devenait instantanément répertorié, disséqué, éparpillé, disponible, et moi, je ne savais rien, minuscule et vulnérable au milieu de ce rien, baigné d'immensité froide et lumineuse, en route vers un lieu dont je ne savais guère plus, juste qu'il était isolé de tout, point minuscule dans un entrelacs de fjords et de péninsules glacées, et qu'il avait sans doute été le dernier refuge de l'oncle de Rosario.

Rosario

11 février

Un oncle que je n'ai plus vu depuis vingt ans m'envoie soudain une sorte de nouvelle dans laquelle il se met en scène en tant que victime de divers troubles physiques et hallucinations, récit dont on ignore la proportion exacte de réalité et de fiction, qui se termine sur l'image de lui-même en train d'étrangler sa maîtresse sous la lune après avoir assisté au rite copulatoire de deux renards, sans que rien n'indique s'il s'agit d'une strangulation irréversible (meurtrière) ou provisoire (érotique), le tout entrecoupé des feuillets présentés comme authentiques d'un grognard mort à Waterloo.

Comme disent les Américains : *What the fuck ?*
(Réponse provisoire : *The hell if I know.*)

En ce qui concerne la fin de l'histoire en question, je pencherais plutôt du côté d'une strangulation pulsionnelle, une asphyxie érotique digne de la communauté BDSM. Paul quant à lui opte pour un meurtre que Vincent aurait réussi à camoufler par la suite. Il a peut-être raison. Il serait donc venu ici, via Buenos Aires, peu après son meurtre (et non mû par un simple désir de recul et de remise en question, ainsi qu'il l'avait prétexté à l'époque) et aurait rédigé son texte une vingtaine d'années plus tard, comme pour me donner quelques indices sur les raisons qui l'ont poussé à partir. Un texte qu'il aurait écrit avant de partir à nouveau, mais définitivement cette fois, et nul ne sait où.

À moins qu'il soit mort. Quel âge doit-il avoir à présent ? Je fais un rapide calcul : pas loin de soixante-dix ans, me semble-t-il – plus vraiment la première jeunesse en tout cas. Un peu tard pour commencer une nouvelle vie. Peut-être n'est-il pas parti. Peut-être le trouverons-nous, squelette ou corps desséché, coincé entre deux récifs, blotti dans une anfractuosité quelconque. Il n'y a plus très long-temps à attendre.

Le bateau s'est engagé voici une heure dans un fjord qui s'enfonce entre de hautes falaises noires couronnées de végétation et de brume. De la mer d'Otway où nous avons navigué pendant plus de trois heures, l'entrée du fjord était presque invisible : la vue que nous en avions était bouchée par deux péninsules qui se faisaient face, entre lesquelles plusieurs petites îles traçaient une ligne de pointillés rocheux, si bien qu'on aurait pu croire qu'il s'agissait d'un seul et même rivage. Mais le bateau s'est faufilé prestement entre les îlots, et s'est engouffré dans le fjord qui s'est alors ouvert devant nous, majestueux. « Isla Cabeza », a dit Felipe, en désignant la plus grande de ses îles, sur notre droite. C'étaient presque ses premiers mots, si l'on excepte le thé qu'il nous a obligeamment proposé, et les cigarettes qu'il a acceptées lorsque je les lui ai offertes. L'Isla Larga se trouve à une dizaine de kilomètres encore à l'intérieur du fjord qui s'étire, nous indique Felipe soudain bavard, sur une trentaine.

Nous accostons au moment même où le soleil réapparaît, qui illumine les roches sombres et fait clignoter l'herbe rase d'éclats blancs. Felipe éteint le moteur, le bateau tangue sous l'assaut des vaguelettes, puis s'immobilise. Nous sommes au sud de la petite île Larga, qui est cernée par les côtes découpées de l'île Riesco, séparée d'elles par un détroit de quelques dizaines de mètres sur la gauche, de quelques centaines sur la droite. Vers le nord le fjord s'enfonce loin dans l'île : on n'en voit pas le bout. Felipe nous dit qu'il faut grimper un peu au-dessus de la petite anse où nous avons accosté. Des milliers de passages de brebis ont depuis des années tracé un chemin bien dessiné. Vingt minutes après, nous la voyons : une cabane d'environ cinq mètres sur quatre, très sommaire, munie d'une cheminée, d'une porte en bon état et de vitres en verre. Un panneau solaire sur son toit. Des enclos à moutons tout à côté. Elle repose au creux d'une conque herbeuse de toute beauté. À l'arrière, deux faibles collines, séparées par un sentier bordé d'herbe grasse où abondent les lupins multicolores, s'élèvent vers l'intérieur de l'île. Du seuil la vue est splendide, qui ouvre, au-delà du bleu-gris métallique de la mer d'Otway, sur le Monte Olvidado, le Monte Inaccesible, le Monte Desaparecido, ainsi que les nomme Felipe, et plein nord vers les sommets enneigés de la partie occidentale de l'île Riesco.

Paul a une moue impressionnée. Il se tourne vers Felipe.

– Les montagnes portent vraiment ces noms-là ?

Felipe hoche la tête. Je crois qu'il a esquissé un sourire.

– Pas très étonnant par ici, dis-je. Il y a aussi l'estuaire de l'Obstruction, l'anse de la Déception, l'île de la Désolation, la pointe de la Désillusion et le golfe des Peines. C'est assez anxiogène, comme coin. Nous demeurons immobiles tous les trois devant la cabane, comme si quelque chose nous retenait d'y entrer, perdant nos regards dans l'écrin des montagnes autour de nous, la mer à nos pieds, le ciel mouvant. Des colonies d'oiseaux marins peuplent les récifs alentour et font un raffut de tous les diables. Je respire un grand coup. L'air est pur, presque brûlant. C'est donc ici que Vincent a passé les vingt dernières années, ici peut-être qu'il est mort. Je contemple les sommets enneigés, le verrou rocheux qui marque l'entrée du fjord tout là-bas, les oiseaux sur leurs récifs dentelés. J'écoute le vent. J'attends un signe qui ne vient pas. Pourquoi ici ? Ce type était prof de collège, était marié, avait deux enfants, une maîtresse, deux, davantage peut-être, une vie pépère et déprimante juste ce qu'il faut, à ce que je sais il n'avait jamais fugué, ne s'était jamais révolté, et puis un jour tout s'est déglingué, il s'est trouvé comme retourné de l'intérieur, tout est devenu invivable, il a largué les amarres, n'a rien dit à personne, a pris un billet pour Buenos Aires, est passé voir sa sœur et ses neveux, puis a filé au Chili et atterri ici, sur cette île que les cartes mentionnent à peine, plutôt un îlot, un bout du monde inhospitalier niché dans un fjord glacé, où il a vécu semble-t-il du commerce du mouton. Et puis il disparaît encore. Pourquoi ?

– On n'entre pas ? demande Paul, m'arrachant à mes pensées.

Je secoue la tête.

– Si, si, bien sûr.

Nous marchons vers la cabane. Près de l'enclos vide, la carcasse d'une serre. On devine encore des tuteurs pour les tomates. Vincent apparemment savait se débrouiller. Dans un tel endroit, il valait mieux : il n'aurait pas fait long feu sinon.

Felipe reste à l'extérieur, allume un autre cigarillo et s'assied sur un banc de fortune accolé au mur, une planche sur deux pierres, juste sous la fenêtre, là où Vincent a peut-être passé des journées entières à fumer en contemplant le reflet des nuages sur la mer agitée.

Nous entrons. L'intérieur est sombre. De fins rayons blancs pénètrent par les deux fenêtres qui ouvrent sur la mer. La poussière danse. Il n'y a pas grand-chose, mais tout est à peu près en ordre : l'endroit n'a pas été abandonné soudainement. Un lit, un poêle, une table, un bureau, deux chaises (recevait-il parfois quelqu'un ?), divers ustensiles, un miroir, des pinces et chenets, des étagères où subsistent quelques livres en espagnol et en français. Un petit meuble à tiroirs avec quelques assiettes, verres et couverts. Un autre meuble, de même taille, avec quelques habits usés à l'intérieur. Des pièges. Du matériel de pêche. Un garde-manger. Des monceaux de laine de brebis. Sur la table, un crâne de renard, des plumes, des pierres, et un grand carnet, presque un cahier, mais rigide, soigneusement rangé sur le côté. Vincent a sobrement écrit en couverture « Le carnet rouge » – bien qu'il soit plutôt brun, mais sans doute le rouge a-t-il passé. Je l'ouvre. Sur la page de garde, est indiqué, comme nous le savions, le nom de ma mère, son adresse à Valparaíso, et ces deux mots, « mi hermana », reliés par une flèche au prénom de Mathilde. Il y a aussi quelques dessins que je ne sais interpréter, des figures abstraites, des gribouillages. À l'intérieur, sur quatre ou cinq pages, des additions, des notes de frais, des colonnes de chiffres. Encore quelques dessins que ce coup-ci je parviens à identifier : des renards, des oiseaux, des baleines, la mer, les montagnes – le quotidien d'un ermite patagon moyen. Puis des pages blanches. Rien de bien intéressant en somme. Je le repose, m'éloigne, arpente les vingt mètres carrés en silence, comme est en train de le faire Paul, dans l'autre sens. Qui lui aussi saisit le carnet, l'ouvre, s'y attarde. Je le vois du coin de l'œil qui le tourne, le retourne et le feuillette avec attention. Puis il me dit :

– Tu as vu ça ?

Il me tend le carnet, ouvert.

Et soudain je m'en veux d'avoir péché par superficialité, de ne pas avoir feuilleté l'intégralité du carnet – car non, je n'avais pas vu « ça » : une dizaine de pages de notes écrites à partir de la fin, dans le sens inverse de la pagination.

Je m'assieds. Paul fait de même. Voilà donc à quoi servaient les deux chaises, pensé-je. Un vif rayon de lumière blanche traverse les carreaux et vient souligner les reliefs du bois de la table, et le grain épais des pages du carnet de Vincent.

Le carnet rouge

Pinochet renâcle. Il devient vieux et agressif. Moi aussi.

*

Tonte à haut rendement.
Quinze, ça compte. Pourrai pas faire ça longtemps encore.

*

Réparé la serre que la tempête avait une fois de plus détruite.
Projets ambitieux cette année : tomates, concombres, aubergines, melons, salades, épinards, carottes, choux, piments, poivrons.

*

Deux journées sans nuages. L'infini à portée de la main. Fin d'après-midi, les montagnes tremblent au loin. La mer est calme. Rien ne bouge. J'entends des

237

cris d'oiseaux. Puis plus rien, à peine les vagues tout en bas. À l'est la côte de Riesco inondée de soleil. La forêt flamboie. Les esprits des Alakalufs sont en repos. Je dors au milieu d'eux.

*

Beau temps, averses, beau temps, beau temps, pluie et vent, temps gris, temps gris (la semaine écoulée). Rien d'autre, hormis nourrir les bêtes.

*

Je sais à présent que le monde est partout le même : sauvage, puissant, indifférent.

*

Choses entendues aujourd'hui : le souffle d'une baleine ; d'étranges gémissements sur les récifs à la nuit tombée ; le cliquetis d'un crabe ; des pétrels criards.
Choses vues : deux pétrels qui se disputaient un reste de poisson ; un arbre dénudé par la tempête qui avait forme humaine ; un nuage rouge posé au-dessus des neiges du mont Desaparecido.
Choses non vues : une baleine et la silhouette rapide d'un Alakaluf.

*

Le silence n'existe pas.

238

Ce que j'entends derrière le silence est plus ténu que le silence.

*

Dernières neiges, déjà moins blanches. Le paysage comme attristé.

*

Hirsute, échevelé, barbu, mal fagoté, je vis depuis des années sur une île loin de tout. On me croit sauvage, rustique, archaïque. Pourtant j'ai un panneau solaire (cadeau de la municipalité de Rio Verde il y a cinq ou six ans), une serre (bâtie par mes soins), des dizaines de livres, un fusil, une carabine, un canot à moteur, une radio, une machine à écrire, une douche de fortune. Et rien entre le monde et moi.

*

Je perds mon regard dans l'embouchure du fjord, et bientôt je ne vois plus que le froid et l'air en suspension. Les distances sont englouties dans la lumière, le vide emplit mes yeux. Il n'y a rien. Le monde est une immensité vide et grise.

*

Temps sec. Je m'endors dans les lupins et mes rêves sont si riches en couleurs que je m'éveille affolé.

*

239

Plein nord-ouest, vers le bout du fjord (manière de parler : il s'enfonce si profondément encore dans l'île Riesco, fin couteau ondulé dans la chair tendre d'un agneau de lait, que je n'en vois pas le bout), une énorme colonie de lions de mer qui se prélassent. Si nombreux que je les vois du petit promontoire devant la cabane, sans avoir besoin de jumelles.

*

Sarclé, biné. Épuisé. Rio Verde pour plus tard.

*

De ma fenêtre, de ma barque, et plus encore depuis l'Isla Cabeza où je passe parfois la journée : dauphin noir ; dauphin de Péale au ventre blanc ; dauphin sablier court et trapu ; dauphin obscur gris foncé et bleu-noir ; dauphin aptère sans aileron dorsal ; petit dauphin de Commerson noir et blanc ; orque ; fausse orque ; globicéphale noir ; baleine franche ; baleine bleue ; baleine à bosse.

Lent silence des baleines.
Larmes aux yeux hier en voyant émerger soudain face à moi une immense nageoire caudale suivie d'une autre, petite et comme neuve. Les deux regagnent ensuite leur monde bleu et froid.

*

Semis.

*

Combat de renards. Une nichée sur l'île. Je leur jette parfois des os, des bout de gras. Rôdent autour de la cabane, apprivoisés.

*

Le temps est une écharde dont on ne sent pas la pointe.

*

J'écris des poèmes et les déchire, comme presque chaque jour depuis.

*

Deux ans se sont écoulés entre cette ligne et la précédente. Il y a eu du vent, de la pluie, du soleil, des multitudes d'oiseaux, quelques baleines, des renards, des conversations muettes, des légumes qui ont poussé, un peu de pêche, un peu de chasse, la tonte des moutons, quelques allers-retours à Rio Verde, le troc, la vente, l'achat de denrées, le vent, la pluie, le soleil et ainsi de suite. Et la belle lenteur des jours, la triste lenteur des jours, des silences qui enserrent les tempes, des silences massifs et lointains qui enveloppent tout, des silences cristallins qui font pleurer la nuit, des fracas de tempêtes comme combats de géants, la beauté violente

241

du monde, la tristesse infinie du monde, et puis un voyage à Punta Arenas où j'ai acheté quelques cartes topographiques et plusieurs livres, dont un trop encombrant qui m'a lancé un signe datant de plus d'un siècle.

*

Dents qui se déchaussent.

*

Je vais d'île en île. Je connais des territoires dont personne n'a idée.

*

J'entends à l'ouest le vent qui s'accumule au dos des montagnes, il monte, monte comme l'eau d'un lac derrière un barrage, puis il déborde, déboule en sauvage, s'étire le long des fjords, arrive en hurlant et dévaste tout.

*

Parfois je reste deux jours au bord du lac sans nom, tout là-haut, au-delà des deux collines. Les animaux ne me voient même plus.

*

Je me tiens droit entre immensités froides qui lavent les yeux et mini-conciliabules d'araignées. J'entends aussi bien la furie du monde que l'inaudible cheminement des iules. Je colle mon oreille à la terre, attends quelques heures, et la succion des épeires, l'avancée méthodique des vers de terre, la sèche mécanique des fourmis emplissent l'univers avec autant de puissance que la sauvagerie des vents ou les pluies violentes de haute mer.

*

Six mois entre ces lignes et la précédente.
J'écris depuis une dizaine de jours. Je raconte. J'invente. Je n'invente rien. Il m'aura fallu presque soixante ans, un renard immobile devant moi, une barque derrière, qui s'enfonçait dans l'eau verte, et d'étranges remous sous cette eau pour que le passé soudain fonde sur moi.

*

Étrange de tendre ainsi la main à celui que je ne suis plus.

*

Je n'arrive même pas à savoir si ce qui a dominé pendant toutes ces années est une joie intense ou une tristesse absolue. Les deux cohabitent si souvent. Mon humeur est semblable au climat : toutes les saisons en une seule journée.

*

La solitude ? Quelle solitude ?

*

Repos. J'arpente des yeux et de l'esprit les cartes achetées l'an dernier. Ainsi, je voyage.

Certaines de mes îles ne figurent nulle part.

*

Un bateau longe parfois les côtes de Riesco, sans doute le propriétaire d'une des estancias de l'île qui vient pêcher en douce, ou des garde-côtes vérifiant que la réserve des Alakalufs demeure vierge de présence humaine.

*

Renardeaux.

*

Retourné à Punta Arenas. J'ai envoyé à ma sœur le livre que j'avais acheté là-bas. Un signe que je lui fais après toutes ces années. Elle me croit mort peut-être. Elle n'a pas tout à fait tort.

*

Tout le monde porte un cadavre sur ses épaules.

*

*J'écris. Je me souviens de ces années lointaines.
Difficile de penser que c'est de moi qu'il s'agit.*

*

*Pinochet donne des coups dans la barrière. Il devient
une menace pour les autres, si bien que je l'isole. Je
crois qu'il est devenu fou.*

*

*Fiction vraie de ma vie d'avant.
Parfois je pleure sans raison.
(Peut-être pas sans raison.)*

*

*Mer calme depuis trois jours. Je sors la plus grosse
des deux barques, la remplis. Rio Verde, troc, vente,
achats et retour. La routine.*

*

*J'aime le contact avec les gens. Avec les bêtes aussi.
Je me considère comme quelqu'un de très sociable.*

*

*Passé une heure avec Pablo, le fils de Fresía Ales-
sandri. Son vrai nom était Jérawr Asáwer. Elle était la
dernière descendante du peuple alakaluf, ou kawesqar.
Ou l'une des dernières. Morte il y a huit ou neuf ans,*

245

d'une pneumonie. Nous étions voisins. Je l'ai bien connue. Lui rendais visite parfois lorsque la mer était calme : trois heures de barque, pas plus. Vivait dans une cabane elle aussi, dans la baie Williams. On ne pouvait s'y rendre qu'à cheval ou par la mer. Ou en hélicoptère. Elle parlait très peu l'espagnol, mais nous nous comprenions sans peine.

*

Pablo me raconte des histoires de marins nus, de chasseurs d'otaries, de noyades et de monstres marins que sa mère lui racontait.

*

Le monde n'est pas peuplé de gens mais d'histoires.

*

Tempête effroyable et magnifique ces deux derniers jours. Les bêtes sont stressées. Je vais les voir, les rassure, leur glisse des mots d'espagnol, de français, et aussi quelques-uns de kawesqar dont Fresía parfois émaillait nos brèves et rares conversations, « kawalhtigattah », « barokhtchulah », « ksharukekrukh », « kwokstallakurei » : des mots qu'elle prononçait indistinctement, n'articulant rien, semblant plutôt les psalmodier de sa voix monocorde, en remuant à peine les lèvres, comme à regret. Des mots, ou peut-être des groupes de mots, que j'avais notés approximativement et sans connaître leur sens, si bien qu'ils ne sont sans doute pas adaptés. Je berce peut-être les bêtes en leur disant « angoisse », « tempête », « mort » et « peur ». Ou « péninsule éclairée de soleil », « combat d'otaries », « la forêt brûle en silence » et « souvent je pense à elle ». Comment savoir. Quoi qu'il en soit, j'éprouve une sorte de satisfaction à faire résonner ici, dans leur environnement originel, ces mots inconnus que plus personne jamais n'utilisera.

*

De ma fenêtre, de ma barque, des îlots que j'arpente, et de partout où je me trouve : pétrels du Cap ; pétrels géants antarctiques ; albatros à sourcils noirs ; mouettes de Scoresby, au bec rouge ; goélands ; cygnes à col noir, qui voyagent en couples ; ouettes de Magellan ; huîtriers noirs de jais au long bec rouge et aux yeux cerclés de jaune ; sternes, qui parcourent la moitié de la surface du globe deux fois par an ; cormorans aux yeux bleus ; cormorans aux yeux rouges ; bruants chingolos ; caranchos au bec rouge, qui crèvent les yeux des agneaux nouveau-nés, les laissent mourir, et s'en repaissent ensuite (saloperie) ; damiers du Cap ; lessonies noires ; manchots de Humboldt ; manchots de Magellan ; skuas du Chili, qui sont les prédateurs des nids de manchots ; canards huppés ; canards vapeurs, qui ne savent pas voler ; caracaras chimango ; cinclodes à ventre sombre ; et bihoreaux gris, sortes de petit hérons.

*

Le vent, le vent, le vent.

247

Quel était ce poème, déjà ? « Le vent qui vient à travers la montagne me rendra fou » ? « M'a rendu fou » ?

*

Je rentre de Riesco, juste en face. Marché longtemps dans la forêt. Puis j'ai découvert un passage inconnu, sur une falaise un peu plus au nord : il permet d'accéder à un espace étroit, comme creusé sous le sommet de la falaise, et formant un chemin d'environ cinq kilomètres de long, invisible depuis la mer, abrité par une forêt dense s'étendant sur cent mètres de profondeur. Traces d'habitats antiques, de campements alakalufs. Immense émotion. De cette corniche la vue est somptueuse sur les îles, le fjord, et les montagnes autour.

*

Tout ici est perpétuellement neuf, et depuis toujours antique. Vaste et muet. Rugissant, odieux. Le commencement du monde toujours recommencé. C'est la force d'un monde où l'humain n'est rien, à peine le souvenir d'un passage de pirogues quelques siècles plus tôt. Fétus de paille balayés par l'histoire et le grand vent d'ici, qui est père de tous les vents.

*

Le temps est un couteau posé sur sa pointe au milieu d'un désert gris et mou.

*

Blancheur d'opaline du couple de sternes qui planent au-dessus de l'ourlet des eaux. Les mêmes au même endroit chaque année. Râlent si je m'approche d'elles, filent un peu plus loin, puis reviennent. Leur petit œil dur. Quelques cris aigres, puis le silence massif.

*

Le vent.

*

Réparer le poêle. Calfeutrer la fenêtre du fond.

*

Depuis quinze jours temps froid, triste et gris. Déprime. Je devrais supporter de mieux en mieux, c'est l'inverse.

*

Laura. Mina.

*

Saigné Pinochet, qui m'a presque assommé. Trop vieux et coriace pour faire des gigots. Je l'ai transporté de l'autre côté de l'île. Fera la joie des caranchos.

*

Vendre les autres.

*

Montagnes-verrous. La mer est une main fermée.
Phalanges de mort blanche.

*

La fin approche.
Préparer le grand voyage. Quelques semaines encore.
Punta Arenas, Puerto Williams, Puerto Eugenia,
Laguna Roja.

*

L'envers du monde.

Paul et Rosario

15 février

Le matin, sur le ferry Punta Arenas-Puerto Williams.

PAUL *(interrompant sa lecture)* : Tu le connais bien, Chen Wanglin ?

ROSARIO : Comme ça. On a passé quelques jours ensemble en Mongolie il y a six ou sept ans, c'est tout.

PAUL : Et c'est quel genre de type ?

ROSARIO : Sympathique. À vrai dire il ne fait pas très écrivain : trop direct, trop spontané. Un poil bizarre, aussi. Porté sur le chamanisme, ce genre de choses. Monomaniaque. Facilement enthousiaste. Assez nerveux. Pourquoi ?

PAUL : Par rapport à quelques lignes que je viens de traduire. Tiens, jette un œil. C'est un passage où deux policiers roulent vers Las Vegas.

(Il lui tend un feuillet.)

« *Nous roulons à présent vers le nord-est depuis Los Angeles, traversant des étendues arides parsemées de buissons noirâtres, de touffes d'herbes rases et d'arbres torturés – des paysages plats comme la Mancha, se dit Ragnvald qui n'a jamais quitté le centre-ouest des États-Unis, ou la Mongolie centrale, qui par la suite s'arrondissent et dansent sous de longues routes*

253

*rectilignes et vallonnées à perte de vue qui tremblotent
à l'horizon, un peu semblables aussi à celles qui, depuis
Punta Arenas, mènent à Puerto Natales et, au-delà,
jusqu'au parc des Torres del Paine où randonnent les
touristes.* »

ROSARIO *(en lui rendant le feuillet)* : Que suis-je
supposé dire ?

PAUL : Ce que tu veux.

ROSARIO : Ça me rappelle *Madame Bovary*.

PAUL : Pardon ?

ROSARIO : Ça commence par « nous », et ensuite
c'est un narrateur extérieur qui révèle les pensées du
personnage. (*Il lui tape sur l'épaule.*) Non, je déconne,
allez. Mais que veux-tu que j'en pense, au juste ?

PAUL *(rangeant le feuillet dans son sac)* : Je ne sais
pas... Il n'y a rien qui te semble étrange ?

ROSARIO : Pas vraiment. Quoi, par exemple ?

PAUL : Eh bien... Le fait qu'il mentionne la route
entre Punta Arenas et Puerto Natales. La Mongolie,
je comprends, vu que vous y étiez ensemble. La Mancha, aussi, tout le monde connaît les paysages de *Don
Quichotte*. Mais ça... Et précisément au moment où
nous sommes dans cette partie du monde...

ROSARIO *(haussant les épaules)* : Il a dû voir un
documentaire, j'imagine. Ce n'est pas non plus
un endroit tout à fait inconnu – tu as vu le nombre
de touristes qui partaient randonner aux Torres del
Paine ? Il y en a de tous les âges, de toutes les natio-
nalités, de tous les genres. Il y a même des spécialistes
d'animalcules bizarres.

PAUL *(pas convaincu)* : Hm...

ROSARIO : Polki, ça s'appelle une *coïncidence*. Ça
arrive souvent, tu sais. Pas de quoi en faire un plat.
(*Un temps.*) Sinon, c'est bien, son livre ?

PAUL : Assez bref en fait : ce sont deux policiers, une blonde froide, plantureuse et lesbienne nommée Nyyrikki Amburn, et son subordonné, Ragnvald Hollingsworth, un crétin bodybuildé avec un pois chiche à la place du cerveau, qui rêve de se taper sa patronne. L'action se déroule d'abord dans le désert de l'Utah, pas loin de Boulder, Colorado – tiens, une autre coïncidence : c'est là que vit Wilfried La Brea, tu te souviens ? –, où ils sont à la recherche d'un type qui a disparu et dont ils retrouvent le cadavre momifié dans une grotte, ensuite à Los Angeles et surtout à Las Vegas, où ils doivent retrouver un narcotrafiquant déchu qui se mêle aux SDF et se planque dans les égouts de la ville et les canaux d'évacuation des eaux de pluie. Ensuite il y a des correspondances entre tout ça, un peu d'action, quelques considérations géopolitiques, c'est assez rythmé. J'ai traduit quatre chapitres pour l'instant. Pas mal, mais un peu strange tout de même – surtout au début, avec ce type momifié dans sa grotte.

ROSARIO : Yuyan t'aide un peu ?

PAUL : Parfois, oui. Il y a par endroits du dialecte pékinois, elle le maîtrise mieux que moi.

ROSARIO : Tu lui as écrit ?

PAUL : Une carte postale, comme tu m'avais dit. Tu vois, je suis un garçon obéissant. Je lui ai envoyé un ou deux mails aussi.

ROSARIO : Et elle t'a répondu ?

PAUL : Euh... oui.

ROSARIO : Et... ?

PAUL *(gêné)* : Eh bien... ça a l'air d'aller.

ROSARIO *(souriant)* : Paul, ce n'est pas ça que je te demande.

PAUL (*il se lève : le ferry arrive à destination*) : Je sais... C'est difficile d'en dire plus. En tout cas, elle est aimable. Mais je n'ai pas senti chez elle un désir éperdu de me revoir.

ROSARIO (*se lève aussi*) : Écoute, tu la connais mieux que moi, mais enfin, elle est plutôt réservée, comme femme, non ? Et têtue. Tu ne t'attends tout de même pas à ce qu'elle t'écrive des lettres d'amour enflammées. Pas son genre, même si elle envisage plus ou moins que vous vous remettiez ensemble. En revanche, si elle voulait ne plus avoir de contact autre que professionnel avec toi, je pense qu'elle te le ferait ressentir, et que les glaciers qu'on a longés hier seraient en comparaison des étuves tropicales.

(*Paul hoche la tête. Le ferry est prêt à accoster. Ils assemblent leurs bagages et se rendent sur le pont*)

Une voix, du rivage : Hey, gentlemen !

PAUL (*à Rosario qui hausse les sourcils d'un air incrédule*) : Tu parlais de coïncidences ?

Sur le ferry il n'y avait rien à faire. Ils avaient embarqué à Punta Arenas, arriveraient à Puerto Williams une trentaine d'heures plus tard, après deux nuits passées à bord. C'était un ferry rouge et crème, dont le nom, *Yahgan*, sentait bon la récupération des peuplades exterminées, les vainqueurs se montrant toujours magnanimes et soucieux du sort des populations locales une fois qu'ils les ont massacrées et qu'il ne reste plus qu'une poignée de survivants. La traversée était belle et froide, au milieu des fjords, des glaciers et des montagnes qui plongent dans la mer. L'itinéraire empruntait le détroit de Magellan vers le sud, pour s'engouffrer ensuite dans le canal Cockburn, déboucher brièvement dans le Pacifique puis changer de cap vers la baie Desolada à l'est, à partir de quoi il allait rejoindre le canal de Beagle, sur la rive droite duquel il accosterait, à Puerto Williams, soit une quarantaine de kilomètres après Ushuaia, qui se trouvait quant à elle rive gauche, côté argentin. Le confort était plus que sommaire : quatre sièges convertibles en couchettes, et une quinzaine d'autres, semi-inclinables, qui tenaient davantage de la banquette de 2 CV que du fauteuil Pullman, le tout dans une cabine collective longue et étroite, à laquelle le nom de couloir aurait probablement mieux convenu. Comme il s'agissait d'un ferry, et non d'un bateau de passagers, rien ou presque n'était prévu pour ces derniers, sauf une petite cafétéria dont la spécialité était le sandwich pain de mie-jambon-fromage. Sur le pont il y avait quatre ou cinq voitures, un tracteur, un camion, quelques conteneurs, et assez d'espace pour déambuler si le vent n'était pas trop glacé. Paul et Rosario avaient eu la chance d'obtenir des sièges convertibles en couchettes, sur lesquels ils se réfugiaient parfois lorsqu'il faisait vraiment trop froid, l'un lisant et traduisant, l'autre perdant son regard dans les formidables masses rocheuses couronnées de nuages et de neige que longeait le ferry, ou dans les glaciers qui ressemblaient à de gargantuesques meringues glacées qui parfois s'achevaient en cascades furieuses.

Paul lisait et traduisait avec attention, et dans le même temps pensait à Yuyan – sa peau fine, presque transparente, son visage de porcelaine, la souplesse de ses hanches, sa voix étonnamment grave, ses yeux noirs, son regard qui ne cillait pas. Il se demandait pourquoi, au fond, ils s'étaient séparés, d'un commun accord qui plus est : peut-être une forme de lassitude, d'habitude qui s'installait, de désir de retrouver un périmètre de solitude dont ils avaient tous les deux besoin – mais cela pouvait se négocier sans en venir à une rupture, se disait Paul à présent, c'est étrange, il avait fallu qu'il parte à l'autre bout du monde pour s'en rendre compte, pour réaliser à quel point ses jours étaient bancals depuis que Yuyan vivait sans lui, lui sans Yuyan, et peut-être, se disait-il aussi, était-ce le déplacement géographique qui avait provoqué chez lui cette sorte de fiction inconsciente et fugitive qui à présent orientait ses pensées, la fiction de lui vivant ici, dans le sud de la Patagonie, et non à Marseille à dix minutes de chez elle, lui exilé au bout du monde comme l'avait été l'oncle de Rosario, et s'installait alors en lui la petite musique d'une phrase racinienne étudiée au lycée voici quelques décennies pourtant, *dans un mois, dans un an, comment souffrirons-nous, Seigneur, que tant de mers me séparent de vous ?* C'est ainsi que, grâce à Racine et à la Patagonie, Yuyan manquait soudain terriblement à Paul. Et c'est ainsi également que, tandis que son corps longeait les côtes les plus australes du monde et que par la vitre sale à ses côtés défilaient, dont il mesurait parfois d'un regard la puissante sauvagerie, rocs abrupts et glaciers qui s'élevaient presque à la verticale, son esprit se trouvait simultanément à Marseille dans un futur assez proche, près de Yuyan à qui il expliquait qu'il ne voulait plus continuer de vivre sans elle, Yuyan qui l'écouterait en le fixant de ses beaux yeux noir profond, et quelque part entre Californie et Utah, dans une voiture climatisée qui traversait un désert plat, chaud et sec à peine troublé d'amas de broussailles poussées par le vent, et la superposition de ces trois espaces mentaux créait d'étranges perspectives, de stimulantes collisions, démultipliait l'expérience du présent et confortait Paul dans la certitude que le système d'oppositions, de symétries, de liaisons souterraines qui ainsi animait son esprit témoignait de la prise en compte d'une grammaire subtile du monde qui l'animait, le dépassait, mais qu'il ne savait nommer.

Rosario quant à lui perdait son regard dans les théories de collines, montagnes et glaciers qui plongeaient dans les eaux grises et froides, et pensait à son oncle Vincent. Vingt années, plus de sept mille journées, passées dans la cabane de l'Isla Larga, au demeurant assez bien équipée, se disait Rosario, avec son panneau solaire, sa serre, ses enclos bien entretenus et son intérieur propret, vingt années à demeurer seul face à ces immensités aussi superbes qu'hostiles, n'interrompant sa solitude qu'épisodiquement, lorsqu'il se rendait en barque à Rio Verde ou, plus rarement, jusqu'à Punta Arenas, où il grimpait probablement dans un bus qui faisait l'aller-retour depuis Rio Verde, suivant la route que lui-même, Rosario, avait empruntée quelques jours plus tôt en compagnie de Polki, des deux Argentins spécialistes d'animalcules et de l'États-Unien propriétaire de la Lune, de Mars et de Vénus, et sans doute dans ces moments-là Vincent avait-il hâte, face à l'agitation de la ville, agitation pourtant modérée comparée à celle des métropoles, de retrouver sa cabane, son île, les îlots alentour qu'il arpentait parfois, son bétail, ses oiseaux, ses renards, son silence et ses baleines. Le petit carnet ne disait pas grand-chose, sauf qu'il exposait sans doute avec concision ce qu'avait été le quotidien de Vincent pendant toutes ces années, comme en chimie les précipités contiennent, fortement condensée, la totalité de la structure des ingrédients qui les composent – comme le chêne se tient tout entier dans le gland, qui sera produit par le chêne. Ils avaient cherché partout sur l'île, nulle part ils n'avaient trouvé trace de Vincent, ni son squelette, ni des bouts de son cadavre, même boulotté par les renards, rien. Pas la moindre trace d'embarcation non plus : de toute évidence il avait quitté les lieux. Les indications qu'il donnait à la fin de son carnet, dont Rosario ne doutait pas qu'elles fussent laissées là à son intention – c'était presque un jeu de piste, souriait-il intérieurement, d'abord ce

texte reçu chez moi, puis quelques maigres rensei-
gnements sur un petit carnet –, les indications laissées
là par Vincent se limitaient à un départ programmé,
vers Puerto Williams, puis cet autre endroit nommé
Puerto Eugenia, près d'un lac nommé Laguna Roja.
Il était apparu que tous deux, Laguna Roja et Puerto
Eugenia, se trouvaient sur l'île Navarino, au sud du
canal de Beagle, quelques dizaines de kilomètres à
l'est de Puerto Williams, réputée être la ville la plus
australe du monde. Ils avaient d'un commun accord
décidé de s'y rendre, et consulté les cartes : la route,
non carrossable, s'arrêtait pas loin de cette Laguna
Roja, mais pour Puerto Eugenia, il fallait s'y rendre
à pied, c'était un minuscule port plus ou moins désaf-
fecté, où nul n'allait jamais autrement qu'en bateau.
Rosario avait emporté avec lui le petit carnet rouge qui
n'était pas rouge mais brun, et rien d'autre, car rien ne
semblait devoir jamais quitter cette cabane où Vincent
avait passé vingt années isolé de tout, et où qu'il fût
à présent, vivant ou mort, son souvenir y reposerait
en partie, au milieu de quelques-uns de ses objets et
c'était très bien ainsi, se disait Rosario. Ils étaient ren-
trés à Rio Verde avec Felipe le nautonier qui parlait
toujours aussi peu et mâchait sempiternellement son
cigarillo, avaient remercié les autorités locales, repris
leur voiture, et avaient roulé jusqu'à Puerto Natales,
où ils avaient à nouveau passé la nuit à la pension
Magdalena tenue par la joviale et courtaude Chiquita,
¡Pero, señores, que agradable sorpresa!, qui leur avait
demandé, *¡mis amorrrres!*, s'ils avaient passé du bon
temps aux Torres del Paine, et ils avaient répondu
*oui, oh oui, les paysages étaient somptueux, quelle
belle région vous avez*, et Chiquita les avait gratifiés
d'un large sourire qui fendait horizontalement sa

face épanouie de grand-mère indienne. Le lendemain à Punta Arenas, ils avaient décidé de conserver leur voiture de location afin de se rendre, plus tard, sur l'île Navarino, le plus près possible de Puerto Eugenia, et c'est ainsi qu'ils s'étaient retrouvés sur le ferry rouge et crème *Yahgan*, à passer deux nuits sur ces fauteuils convertibles en couchettes, à perdre leurs regards dans les paysages répétitifs et grandioses qui se succédaient lentement de part et d'autre du ferry, que ce soit dans la brume matinale, dans la clarté de midi, ou pendant les deux couchers de soleil auxquels ils avaient eu droit – un peu trop carte postale, se disait Rosario, mais tout de même, tout de même c'est pas mal –, le ciel étant ces deux soirs-là parfaitement dégagé. Et, le dernier jour, après avoir longé à l'aube l'époustouflant glacier Roncagli et fait une brève halte dans un petit port nommé Yendegaia où étaient descendus cinq personnes chargées de ballots, tandis qu'un ballet de voitures et tracteurs avait pendant quelques minutes animé le débarcadère sous un ciel bas et gris, après avoir dépassé Ushuaia qui, plus grande qu'ils ne l'imaginaient l'un et l'autre, s'étendait plate sur leur gauche au pied de pitons acérés et neigeux, et juste après que Paul eut fait lire à Rosario un passage du manuscrit qu'il traduisait, ils accostèrent à Puerto Williams, où quelqu'un les héla depuis le rivage, qui les avait reconnus.

Ce qui est extraordinaire, *gentlemen*, leur avait dit Wilfried La Brea en leur tapant sur l'épaule, manifestement étonné et heureux de les voir descendre sur le débarcadère où il s'était pointé en avance pour attendre, précisément, ce ferry de Punta Arenas, ce qui constituait une sorte d'animation non négligeable dans cet endroit qui en est relativement dépourvu, les distractions ne sont pas légion ici, avait-il dit, et c'est ainsi qu'il était arrivé une heure environ avant qu'accoste au même endroit un voilier-charter affrété à Ushuaia, de l'autre côté du canal de Beagle, sur lequel se trouverait son associé avec qui il avait fait le voyage jusqu'en Patagonie – lui-même, La Brea, étant arrivé l'avant-veille en avion depuis Punta Arenas et ayant atterri juste là, de l'autre côté de la baie, et d'un geste de la main il avait montré la direction du proche aéroport Guardia Marina Zañartu –, ce qui est extraordinaire, *gentlemen*, c'est que je me suis arrêté, au retour de Puerto Natales où vous aviez eu la bonté de me conduire, ainsi que nos acolytes d'un jour, les deux Argentins spécialistes d'animaux étranges, vous vous souvenez, ils avaient l'air totalement passionnés par ces bestioles, à la limite je peux le comprendre, étant moi-même d'un naturel passionné, mais enfin, ces machins microscopiques qui résistent à tout, c'est bien beau mais je vous demande un peu, une fois qu'on a dit ça on a tout dit, ils me semblaient plutôt monomaniaques je dirais, le prototype du scientifique obnubilé par son objet d'études et déconnecté du reste de la réalité, si je puis me permettre, hyperpointu dans son domaine mais incapable par ailleurs d'ouvrir une boîte de sardines ou de démarrer un moteur, enfin, ce qui est extraordinaire, donc, c'est que je me suis arrêté, sur le chemin du retour de Puerto Natales où j'avais loué une voiture pour rentrer à Punta Arenas, dans la même cafétéria Ruta Sur, vous ne l'avez pas oubliée n'est-ce pas, où une sympathique dame allemande nous avait servi bières et cafés tandis que son associée, ou amie, chilienne, manifestement d'origine indienne aussi loin que l'on pouvait en juger à partir de ses traits, ses cheveux et sa morphologie, était restée dans l'arrière-boutique derrière un rideau multicolore, et où je vous avais parlé de l'entreprise dont je m'occupe, je n'en dis pas plus, relative comme vous vous en souvenez certainement à la Lune et aux corps célestes – ce qui est extraordinaire donc, c'est que m'arrêtant à nouveau dans cette cafétéria de bord de route, car oui, que voulez-vous, je suis ainsi, lorsque je suis à l'étranger j'aime me créer des habitudes, et cela passe par le fait de retrouver les endroits où je me suis déjà rendu une fois, de rencontrer à nouveau les personnes que j'ai déjà croisées, et soit dit en passant c'est pour cela, *gentlemen*, que je suis ravi de vous retrouver, j'aime les répétitions, programmées ou non, les rituels, cela me rassure sans doute, bref, ce qui donc est extraordinaire c'est que cette serveuse, patronne plutôt, s'était-il repris, enfin, cette Allemande de la cafétéria de bord de route, qui avait gardé le silence tout le long que nous étions restés chez elle voici, combien déjà ?, le temps m'échappe, je ne parviens jamais à le rattraper, disons cinq jours, ou une semaine, je ne sais plus, cette sympathique Allemande qui était restée silencieuse s'est mise ce jour-là à me parler abondamment, peut-être était-elle intimidée lorsque nous y étions tous les cinq, et puis il faut dire que je parlais beaucoup ce jour-là, sans compter que même si nous étions restés tous muets elle ne nous aurait pas forcément adressé la parole vu qu'elle ne nous avait jamais vus auparavant, tandis que là c'était différent, elle avait comme moi l'impression de revoir non un vieil ami mais une vieille connaissance, les visites sur cette route ne sont pas si fréquentes, me disait-elle, les véhicules passent, passent, passent et s'arrêtent rarement, tout entiers absorbés, avalés par la griserie de la ligne droite infinie qui ouvre le paysage comme un couteau effilé dans la chair tendre d'un agneau – c'est l'expression qu'elle a employée, « un couteau effilé dans la chair tendre d'un agneau », on sentait la femme habituée à tuer le bétail pour se nourrir, j'ai trouvé ça beau et sauvage, vaguement excitant je dois bien l'avouer, vous connaissez ma devise, n'est-ce pas, « la tête dans les étoiles et le cœur prêt à chavirer » –, bref, nous avons parlé, enfin, c'est surtout elle qui a parlé, elle m'a raconté une partie de sa vie, comment elle avait grandi en Bavière du côté de Regensburg je crois, comment elle avait rencontré son mari chilien lorsqu'ils étaient étudiants, comment ils avaient été tous deux enseignants à Santiago, comment ils étaient venus s'établir ici à la suite d'un héritage, comment son mari était mort d'un cancer, ou d'un AVC, je ne sais plus, enfin, il était mort rapidement et assez jeune, et comment depuis elle se sentait prisonnière dans cet espace immense, sans barrières nulle part si l'on excepte les barbelés qui partout délimitent les propriétés des estancieros, mais pour le reste les yeux respirent, les ciels sont immenses, la plaine infinie, les montagnes s'échelonnent et semblent attendre qu'on se dirige vers elles, qu'on les arpente et s'y perde, oui, l'espace entier était un appel d'air, fuir était aisé, disparaître aussi, et pourtant elle se sentait prisonnière, me disait-elle, ne sachant comment rompre avec cette vie qui ne lui convenait plus, embrigadée dans les tâches quotidiennes qui n'en finissent jamais et empêchent toute vision à moyen terme de sa propre existence, enfermée dans le carcan journalier des micro-habitudes qui rythment les journées et les immobilisent, les figent dans une espèce de gélatine informe, invisible et contraignante, bref, elle sentait qu'elle devait partir et ne savait comment faire, ni où aller, ni avec qui, ni quand, ni pourquoi ni rien – et c'est alors que je suis arrivé, m'a-t-elle dit, et que je lui ai ouvert les yeux, qu'elle a senti que son futur s'organisait, qu'elle pouvait échapper à la prison de l'espace infini, qu'elle avait le *droit* de réclamer une vie différente, que c'était très simple, il lui suffisait de *décider* qu'elle pouvait partir, tout n'est qu'affaire de *décision*, avait-elle dit, à un moment donné vous ne pouvez rien faire, tout vous semble insurmontable, et une seconde plus tard vous avez *décidé* que vous pouviez, et vous pouvez, et cela elle l'avait compris grâce à moi, qui dans sa cafétéria lui avais adressé un signe sans m'en rendre compte, oui, disait-elle, je lui avais ouvert les yeux en ne faisant rien de plus que plonger mon regard dans le sien pour lui commander une bière, à partir de là elle attendait un signe, et je le lui ai adressé sans le savoir, tandis que je vous parlais, *gentlemen*, et que je vous exposais mes projets de propriétés sur la Lune, Mars et Vénus. Votre regard, m'a-t-elle dit, vos yeux étaient exactement ceux de mon grand-père, c'était étonnant, renversant, mon grand-père Werner dont je suis prête à parier qu'il est votre client le plus âgé, vous avez parlé d'un Bavarois de 97 ans, mon grand-père est bavarois et a cet âge-là, je suis certaine que c'est lui, connaissez-vous le nom de ce client ? et je n'ai rien pu répondre, car je ne le savais pas, j'ai une très mauvaise mémoire des noms, d'ailleurs j'ai oublié les vôtres, *gentlemen*, et pourtant vous me les avez indiqués, et même le nom de ce client emblématique, le plus âgé de tous ceux que j'ai, je l'avais oublié, mais qu'à cela ne tienne, lui ai-je dit, je peux vérifier cela une fois rentré chez moi, je vous enverrai un e-mail, et elle a souri, non, cela n'a aucune importance, a-t-elle rétorqué, que ce client soit ou non mon grand-père n'a finalement aucune importance, le fait est que lorsque j'ai vu votre regard j'ai *cru* voir celui de mon grand-père Werner, dont je me suis dit alors qu'il m'appelait à travers vous, qu'il m'attendait chez moi en Bavière pour mourir, et j'attendais un signe, et vous me l'avez donné en mentionnant ce Bavarois qui a son âge, aussi ai-je décidé dans la seconde, comme en un claquement de doigts, ce que je n'osais imaginer jusqu'alors, à savoir que je *pouvais* partir, il me suffisait de le décider, j'allais vendre la cafétéria à Teresa et rentrer chez moi en Allemagne, tout soudain me paraissait si simple, merci monsieur, merci mille fois, avait-elle fait en me prenant les mains dans les siennes d'un air infiniment reconnaissant – et moi j'étais stupéfait, c'était la première fois de ma vie que j'étais aussi important pour quelqu'un, j'en avais presque les larmes aux yeux, car je suis très sentimental, *gentlemen*, je pleure pour rien ou presque, au cinéma c'est une catastrophe, même un film moyen, pour peu qu'il soit à peine sentimental, m'arrache les larmes et je me mouche bruyamment, c'est à peine si je ne sanglote pas en gémissant comme un bœuf, alors là vous imaginez, bref, j'étais extrêmement ému par ce que me disait cette Allemande, et pour cacher ma gêne je lui ai demandé son nom et elle m'a dit Hamletina Ruiz, du nom de mon mari, mais mon nom de jeune fille est Voss, Hamletina Voss. Or tenez-vous bien, *gentlemen*, Voss est le nom de ma mère, Evelyn Voss, d'origine allemande, et arrivée aux États-Unis dans les années trente, pour des raisons que vous pouvez imaginer si vous avez quelques notions d'histoire européenne, et je ne doute pas que vous en ayez. Je saisissais donc d'où Hamletina Voss pouvait tirer la certitude qu'à travers mes yeux c'était son grand-père qui la regardait, peut-être étions-nous parents, après tout qui sait, Voss est un nom courant j'imagine, mais les cousinages lointains existent, et se manifestent parfois à travers un regard, une démarche, l'implantation des cheveux, des sourcils, des détails que l'on remarque à peine. Pour dissimuler mon trouble je lui demandai si c'était aussi le nom de son grand-père bavarois de 97 ans, et là le château de cartes que je venais de bâtir s'écroula, car elle me répondit non, il s'agit de mon grand-père maternel, il s'appelle Sachs, Werner Sachs, il avait, pouvez-vous imaginer cela, dix-huit frères et sœurs, parmi lesquels trois paires de jumeaux – et j'avais beau tenter de me rappeler le nom de ce client bavarois de 97 ans, rien ne venait, et ce nom de Sachs en tout cas ne me disait rien. C'est étrange lui dis-je alors, parce que figurez-vous que Voss est le nom de ma mère, Oh ! vraiment ? fit-elle, mais c'est extraordinaire, alors nous sommes peut-être parents !, oui, et j'ai donc supposé, continuai-je, que ce que vous disiez au sujet de mes yeux qui vous rappelaient ceux de votre grand-père pouvait provenir de là, mais puisque le grand-père dont vous parlez n'est pas un Voss mais un Sachs, et qu'aussi loin que je sache je n'ai rien à voir avec une quelconque famille Sachs, c'est vraiment très étrange. À cela elle est restée silencieuse, eut un sourire énigmatique, puis une moue qui signifiait quelque chose comme « Qu'est-ce qu'on en sait ? » ou « Que peut-on y faire ? » et elle m'a servi une bière. Vous savez, me dit-elle alors, j'ai peut-être exagéré, on se raconte parfois les histoires qu'on a besoin d'entendre, sans doute avais-je besoin ce jour-là de prendre une décision importante concernant ma vie, et c'est vous qui à votre insu en avez été le vecteur, à travers un regard que j'ai *imaginé* être le même que celui de mon grand-père – et il est vrai qu'à présent que je vous regarde mieux je ne vois plus tout à fait le regard de mon grand-père Werner, il y a comme une parenté mais ce n'est plus aussi flagrant –, et aussi à travers vos propos, qui m'ont adressé le signe que j'attendais, et c'est ainsi que grâce à vous ma vie va changer, c'est cela l'important, car les événements surviennent à un instant précis, parfois c'est le moment adéquat, et une fois qu'il est trop tard, plus rien n'est pareil : il *fallait* que vous arriviez ce jour-là, il *fallait* que je croie voir dans vos yeux le regard de mon grand-père, il *fallait* qu'un signe survienne, et tout cela s'est produit, et pour tout cela je vous suis infiniment reconnaissante. Elle me disait cela et je hochais la tête, ému de tant de gratitude pour quelque chose que je n'avais pas même conscience d'avoir fait. À ce propos, continua-t-elle, j'ai entendu l'autre jour que vous aviez des parcelles à vendre sur la planète Vénus, vous m'avez même proposé d'en acquérir. Si c'est bien mon grand-père qui a acheté des hectares de la Lune, ce qui est bizarre, pardonnez-moi, je vois cela comme une lubie de vieillard qui perd un peu la raison, mais si c'est bien lui et qu'il est inté-ressé par les propriétés extraterrestres – et même si ce n'est pas lui, sans doute en aimera-t-il l'idée, car dans mon souvenir il était assez fantaisiste –, bref, quoi qu'il en soit j'aimerais lui offrir quelques hectares sur Vénus, je les lui offrirai à mon retour, et je suis sûr que cela lui fera plaisir, me dit Hamletina, car je connais Werner, je sais que lorsqu'il était jeune il était très séducteur et je me dis que posséder quelques arpents sur une planète portant le nom de la déesse de l'Amour ne pourra que l'enchanter. Justement, lui ai-je dit, j'ai un terrain à vous proposer, une affaire en or expressément destinée à votre grand-père Werner Sachs, oui, je vous assure, une offre spécialement faite pour lui, vous ver-rez – et c'est ainsi qu'Hamletina Ruiz, née Voss, dont j'ai changé à mon insu le cours de la vie et qui est peut-être une lointaine parente à moi, m'a acheté – à prix préférentiel, *gentlemen*, 3 dollars l'hectare au lieu de 5 – un tout petit terrain de cent hectares sur la planète Vénus, dans l'hémisphère nord, au sud du plateau d'Ishtar, au bord d'un endroit nommé, tenez-vous bien, « *Sachs Patera* », comme son grand-père Werner. Et il avait éclaté de rire. Mais je parle, *gentlemen*, je parle, avait terminé Wilfried La Brea en accompagnant Paul et Rosario jusqu'à leur voiture, je parle et je ne vous ai même pas demandé ce que vous faisiez, ici, à Puerto Williams.

En effet, il parlait, et Paul et Rosario, étourdis par la logorrhée de Wilfried La Brea, avaient été quelque peu surpris par la question, pourtant fort commune, relative aux raisons de leur présence ici. C'est Rosario qui, après un temps d'hésitation, avait indiqué qu'ils étaient à la recherche de quelqu'un venu s'établir quelques mois auparavant dans la région de Puerto Williams, probablement près d'un endroit nommé Puerto Eugenia, et qui n'avait plus donné signe de vie depuis. Puis, fort imprudemment, n'avait-il pu s'empêcher de penser au moment même où les mots franchissaient ses lèvres, il avait ajouté : « Et vous ? » – ce qui allait sans nul doute, s'était-il dit alors, relancer la machine à paroles de l'imposant Wilfried La Brea, qui se tenait jovial à leurs côtés, Stetson vissé sur le crâne, vêtu d'une épaisse parka, et les invitait à présent à prendre une bière avec lui dans l'espèce de baraquement désert qui faisait office de snack en attendant le voilier-charter en provenance d'Ushuaia sur lequel se trouvait son associé en affaires lunaires. Ainsi il pourrait leur expliquer les raisons de sa présence à Puerto Williams et, peut-être, avait-il ajouté d'un air mystérieux, peut-être, les aider dans leur recherche.

— Il est neuf heures du matin, fit remarquer Paul. Un peu tôt pour une bière…

— Très bien, alors un café, et ensuite je vous libère, *gentlemen*, fit La Brea en riant.

Ils obtempérèrent. L'endroit était en tout et pour tout composé de deux bancs métalliques et trois distributeurs, l'un de café, l'autre de bières et sodas, le troisième de sandwichs et barres chocolatées. Au mur, un panneau indiquant les jours et heures des ferries pour Punta Arenas, ainsi que les horaires des avions de la compagnie Aerovías – l'aéroport Guardia Marina Zañartu était tout près. La Brea introduisit les pièces, et leur tendit à chacun un Nescafé, tandis que lui décapsulait une bière Austral.

— Vous vous souvenez, *gentlemen*, leur dit-il alors, que je me rendais à Puerto Natales pour rencontrer un client à qui je devais remettre en main propre l'acte de vente et le certificat de possession des quelque neuf cents hectares lunaires qu'il avait achetés – un terrain fort bien placé, soit dit en passant, à deux pas de l'emplacement de la future pyramide d'habitations –, ainsi que l'exemplaire de la Constitution galactique, que reçoit chaque acquéreur. Je devais ensuite rejoindre mon associé à Ushuaia, et nous avions prévu de partir en croisière vers le cap Horn puis dans les fjords de la côte Pacifique, et rentrer ensuite à Punta Arenas. Le projet tient toujours, mais nous avons décidé de venir d'abord ici, à Puerto Williams, et rentrerons à Ushuaia demain. Car voici, ce client de Puerto Natales, du nom de Zelig Asador, se trouve être l'ami d'un des conseillers municipaux de Puerto Williams qui, lorsqu'il eut vent de l'acquisition que venait d'effectuer son ami Asador sur la Lune, eut l'idée d'offrir la même chose, à savoir une parcelle de la surface lunaire, à une personne qui vit ici, nommée Luisa Froís. Je l'ai rencontré hier, ce conseiller municipal, et il m'a longuement parlé de cette Luisa Froís. Elle a 88 ans, et elle est la dernière représentante du peuple yahgan, ce peuple de nomades marins qui vivaient ici et furent exterminés, comme vous le savez peut-être, mais moi je l'ignorais, à partir de la fin du XIXe siècle, si bien qu'à l'instar des autres peuplades indigènes de cette partie du monde, les Alakalufs, les Onas et les Aush, ils disparurent à peu près totalement – à l'exception, donc, de Luisa Froís, qui est la dernière représentante de ce peuple yahgan, et la dernière personne au monde à parler leur langue, m'a-t-on dit, bien qu'elle ait un petit-neveu, nommé Jorge, mais lui ne parle pas cette langue, tout au plus en connaît-il certains mots. Le plus étonnant, *gentlemen*, est qu'il serait sans doute possible de reconstituer en partie cette langue, grâce à un dictionnaire anglais-yahgan assemblé par un pasteur nommé Thomas Bridges qui vivait ici au milieu et à la fin du XIXe siècle, d'abord à Ushuaia puis à Harberton, également en Argentine, juste de l'autre côté du canal. Bref, continua-t-il, la municipalité de Puerto Williams a donc décidé d'offrir à la dernière survivante du peuple yahgan, Luisa Froís, trois cents hectares de surface lunaire ! Voilà la raison de ma présence ici, conclut-il. Je l'ai rencontrée hier, cette Luisa Froís, et tout à l'heure, lorsque mon associé aura débarqué, nous irons lui remettre ensemble en grande pompe, avec le maire et les conseillers municipaux, son titre de propriété. C'est magnifique, non ? fit-il en avalant une lampée de bière.

Un silence s'installa. Paul et Rosario se regardaient. Ils ne savaient que penser de ce type. Amical,

chaleureux et timbré, tout cela ne faisait aucun doute
– mais aussi inconscient, à moins qu'il fût incroya-
blement cynique. Comment pouvait-il estimer ne
serait-ce que *recevable* l'idée saugrenue d'attribuer
à quelqu'un dont les ancêtres avaient été décimés et
les terres depuis un siècle confisquées, quelqu'un que
l'on avait privé d'histoire et de territoires, la dernière
survivante d'un peuple qui après elle ne subsisterait
qu'à peine dans la mémoire des hommes, à travers
quelques livres tout au plus, à travers aussi quelques
cérémonies officielles, puisque les vainqueurs et
exterminateurs divers sont toujours les premiers à
commémorer solennellement la mémoire des peuples
qu'ils ont massacrés, comment pouvait-on même
envisager d'offrir à cette femme quelques hectares
de la surface de la Lune – de la Lune ! – quand tout
le territoire alentour, dont on l'avait dépossédée,
appartenait, il y a encore un siècle, à ses parents,
grands-parents et cousins ? Elle n'aurait plus dès lors
qu'une double nostalgie comme horizon, la nostalgie
du temps et celle de l'espace : nostalgie du temps avec
les souvenirs directs ou indirects, les siens ou ceux
que ses parents lui racontaient, de l'époque où son
peuple arpentait librement la prodigieuse étendue de
ses territoires ; et la nostalgie de l'espace, lorsque le
soir elle verrait se dresser devant elle cette Lune à
la surface de laquelle quelques arpents de poussière
inutile lui appartiendraient désormais. Dans les deux
cas, elle serait confrontée à l'inaccessible, au constat
cruel d'une distance prodigieuse, qui jamais ne pourrait être comblée, entre elle et ce qui lui appartenait,
ou lui avait appartenu. C'était obscène et cruel. Wilfried La Brea cependant semblait ne pas s'en émou-
voir, au contraire, il estimait qu'il s'agissait d'une

excellente idée, d'un geste noble et désintéressé, d'un témoignage d'admiration et d'affection envers cette vieille femme dépositaire d'un passé et d'une langue qui bientôt sombreraient pour jamais dans le puits noir du temps.

– Quoi qu'il en soit, rompit-il le silence, peut-être froissé de l'absence de réaction de Paul et Rosario, si vous êtes à la recherche de quelqu'un, il faut que vous rencontriez Luisa Froís. Elle parle peu, mais elle sait tout. On dit même qu'elle a des pouvoirs, baissa-t-il la voix, qu'elle voit les choses invisibles. Bon, moi je ne crois pas à ces choses-là, mais c'est un sacré bout de bonne femme, vous verrez. Car vous pouvez aller la voir, *gentlemen*, et pas plus tard que tout de suite. Je suis sûr qu'elle saura vous renseigner sur la personne que vous cherchez, rien de ce qui se passe dans le coin ne lui échappe, qu'elle le voie ou pas, qu'on lui en parle ou non. Elle a des accointances avec l'invisible, je vous dis, et son savoir excède de beaucoup ses cinq sens. Elle vit dans la petite maison bleue que vous voyez là-bas, près de la falaise. Les autorités ont créé dans les années soixante-dix un village de l'autre côté de Puerto Williams, Villa Ukika, où vivent une cinquantaine de descendants du peuple yahgan – dont aucun, soit dit en passant, ne parle la langue, ni n'est yahgan à cent pour cent : Luisa Froís est la seule à l'être – mais elle refuse de vivre dans ce qu'elle appelle une réserve. Elle reste là, à l'autre bout de Puerto Williams. Elle passe ses journées dehors, m'a-t-on dit, sur un banc, le dos appuyé à son mur bleu, face à la mer – c'est là que je l'ai vue hier. D'ici dix minutes, je suis sûr qu'elle y sera.

Et il se leva pour se servir une autre bière. Rosario insista et la lui paya. Il en profita pour prendre deux autres cafés. Dehors le vent s'était levé. Le ciel était bas et monotone. Le soleil peinait à percer sous les nuages. Les premières maisons de Puerto Williams, que l'on apercevait en haut d'une faible déclivité, s'alignaient comme une troupe de soldats tristes et gelés, dans un espace de désolation extrême. Il faisait froid. Il n'y avait personne. C'était le bout du monde.

Elle ne les attend pas. Elle pense à de vieilles berceuses. À son grand-père Shukukurhtumahgoon, ce qui signifie « fils d'une maison recouverte de chaume », à sa grand-mère Pakawayankihrkeepa, « femme née près de la rivière aux oiseaux », deux noms imprononçables pour les colons, qui les avaient rebaptisés Shuk et Pakawa. Aux histoires qu'ils lui racontaient, aux légendes dont plus personne ne se souvient : comment le poisson des roches nommé Syuna a gagné sa tête plate, comment un Yahgan très petit nommé Wasana se métamorphosa un jour suite à une malédiction et donna naissance au peuple des souris, comment la Lune un jour tomba dans la mer, souleva la surface des eaux, qui submergèrent la Terre et noyèrent toutes ses créatures, et seule une petite île avec les ancêtres du peuple yahgan demeura émergée et lorsque les eaux redescendirent à partir d'eux l'humanité se reconstitua, comment les Lakooma, créatures maléfiques et monstrueuses de certains lacs, attrapaient d'une main gigantesque qui soudain jaillissait des eaux ceux qui se promenaient sur les rives et les entraînaient au fond de leurs labyrinthes d'algues, comment les grands hommes des bois, qu'on appelait Cushpij ou Hanusch, enlevaient les femmes yahgans et les tenaient prisonnières et esclaves pour le restant de leurs jours, et comment dans les temps anciens, bien longtemps avant tout cela, c'étaient les femmes qui dirigeaient le monde, et par mansuétude et naïveté elles acceptèrent de partager le pouvoir avec les hommes, puis se laissèrent peu à peu berner et dominer par eux. Elle pense à tout cela et à bien d'autres histoires encore. Parfois son esprit bascule vers l'arrière, et elle s'endort presque. D'autres fois au contraire elle est tout entière à la pointe de son présent, attentive aux vibrations infimes de la lumière, au moindre remuement des arbres, se souvenant comme elle savait lire, enfant, dans la respiration des vagues et les plaintes du vent. Elle a le regard noir et perçant, les sourcils broussailleux. Un visage ridé qui ne sourit pas. Elle est petite et ronde. Plus jeune ses mains étaient bénies, comme celles de sa mère, de sa grand-mère, et de toutes les femmes avant elles. Qu'elle touchât une branche morte, et elle fleurissait. Un ventre stérile, et il enfantait. Puis, comme tout le reste, cela disparut. À présent plus rien n'est béni. Elle prend le soleil devant sa maison. Elle attend. Tous les jours Jorge vient la voir, et lui apporte à manger. Il veut apprendre à parler la langue. Alors elle l'aide un peu.

Elle ne les attendait pas, et pourtant c'est l'impression qu'ils eurent l'un et l'autre. Elle les accueillit d'un signe de la main, comme s'ils s'étaient vus la veille.

Ils s'approchèrent d'elle, hésitants et souriants.

– *Buenos días, señora*, dirent-ils.

Elle hocha la tête. Leur fit signe de s'asseoir à ses côtés. Puis elle tourna le regard vers la mer en contrebas, l'autre rive du canal de Beagle en face, les montagnes enneigées qui parfois émergeaient des nuages et dominaient le tout, et sembla les oublier.

Il y eut un long silence, à peine troublé par des bruits de scie sauteuse du côté du village. Les regards étaient absorbés par la succession de cimes qui couronnaient la rive argentine du canal. Il faisait un peu moins froid.

Lorsqu'un bateau apparut sur la gauche, un voilier, sans doute celui qu'attendait La Brea, Luisa Froís murmura quelque chose qu'ils ne comprirent pas. Quelque chose de bref. Sa voix était rauque. Elle n'articulait pas, semblait ne lâcher les mots qu'à contre-cœur, après les avoir longuement mâchés. Rosario attendit quelques secondes, puis la fit répéter.

— *¿Que dice usted, señora ?*

À nouveau un silence s'installa. Puis elle dit, sans tourner la tête vers eux, à peine plus fort et plus distinctement, dans une légère et chuintante bouillie verbale :

— *No hay serpientes aquí...*

Paul interrogea Rosario du regard.

— *En ninguna parte*, ajouta-t-elle en appuyant sur « ninguna ».

— Elle dit qu'il n'y a pas de serpents par ici, dit Rosario. Nulle part.

Luisa Froís fit oui sans les regarder.

— Tu penses à la même chose que moi ? murmura Paul.

Rosario hocha la tête.

— Tu devrais peut-être lui demander si un vieux Français est arrivé dans le coin ces derniers mois ?

Rosario eut une moue peu convaincue.

Luisa Froís, elle, gardait les yeux fixés sur l'autre rive du canal, à cinq kilomètres de là. Elle semblait avoir oublié les deux hommes assis à quelques centimètres d'elle.

Rosario lui aussi fixait les sommets qui face à eux s'échelonnaient à perte de vue, et pensait à tous ces lieux qu'il avait parcourus depuis des années, dans lesquels il ne savait plus s'il avait eu la sensation de se dissoudre, ou de se dilater dans l'espace, de consolider ou d'épuiser ainsi son être et son esprit – et il se disait qu'il s'agissait au fond de la même chose, et que tout depuis l'origine se dirigeait irrémédiablement vers cela : le développement, l'abolition des frontières, l'envol vers l'extérieur, l'expansion infinie, et le retour à l'indifférenciation primordiale. L'apparition de la complexité avec la première cellule, puis les protozoaires, les organismes pluricellulaires, les plantes, les insectes, les vertébrés, l'homme avec sa conscience de soi, sa capacité à analyser, nommer, complexifier le réel, le réduire, le maîtriser, le démultiplier, l'invention de la technique, de la technologie, le désir d'étendre encore plus loin sa puissance et sa maîtrise, l'exploration de l'espace, la possession programmée des planètes, le fantasme de la pensée toute-puissante qui commande à distance un ordinateur, une voiture, une fusée – cette pensée dont, dans le même temps, on oubliait qu'elle pouvait à l'occasion s'affranchir des limites matérielles lorsque ses manifestations semblaient témoigner d'une conscience élargie du réel qui opérait par courts-circuits, intuitions et raccourcis, épiphanies et *satori*, comme cette simple phrase d'une très vieille dame mentionnant une absence de serpents, qui venait répondre aux rêves d'un Français qu'elle n'avait peut-être pas même croisé et qui en tout cas ne lui avait certainement pas raconté ses rêves d'il y a vingt ans –, tout cela, qui témoignait du chemin parcouru entre la matière brute, primitive, et la pensée analytique, abstraite et conceptuelle, Rosario le voyait comme un itinéraire à la fois expansif et régressif, un affranchissement des limites du corps dont l'issue serait une dilatation en même temps qu'une dissolution de l'humain dans l'espace et le temps, une disparition programmée depuis l'origine et dont on trouverait les traces, si on savait les lire, dans le code génétique de chacun.

– Jorge, fit soudain Luisa Froís en hochant la tête.

Mais il n'y avait personne, à part eux trois. Le silence bourdonnait. Le voilier tout en bas grandissait sur l'eau calme du canal. D'ici une demi-heure il accosterait, La Brea retrouverait son partenaire, ils iraient voir les responsables municipaux, et viendraient tous ensemble ici pour remettre à Luisa Froís son acte de propriété lunaire. Pourvu qu'on soit partis à ce moment-là, pensa Rosario.

Soudain un petit homme brun au visage rond apparut au coin de la maison. Jorge. Aucun bruit de moteur ne l'avait annoncé : il était venu à pied. Il salua les deux Français, ne paraissant aucunement surpris de les trouver là. Du menton, il désigna Luisa Froís.

– C'est ma tante. Tiens, je t'ai apporté des biscuits – elle adore les biscuits à la cannelle, expliqua-t-il d'un air timide.

Luisa lui fit un signe de la main pour qu'il s'approche d'elle. Lui parla de très près, ce qui rendait ses propos encore plus inaudibles. Jorge faisait oui de la tête. Rosario crut entendre les mots « eremitaño » et « lugar ». Puis elle prit un biscuit, qu'elle mâcha consciencieusement.

Le vent incessant.

Des épaves de bateaux rouillées, à moitié détruites.

Les eaux rapides.

Quelques phoques sur les rochers.

Le ciel bas.

Au bout de la route, avait dit Jorge. Un peu avant Puerto Eugenia, la voiture ne va pas plus loin. Vous verrez un débarcadère. Il y aura deux épaves de bateaux de pêche. Continuez tout droit, à pied, pendant trois cents mètres. Un sentier monte entre les arbres. Un gros rocher domine le canal. Là, prendre à droite et grimper encore un peu. Six cents mètres environ. C'est la direction de la Laguna Roja. Il y aura un petit lac avant. Dès que vous l'apercevez, vous bifurquez sur la gauche. Vous marchez encore six cents mètres. Vous verrez la cabane de loin. Celui que vous cherchez est là.

Luisa Froís les avait regardés fixement l'un et l'autre. Puis elle avait eu un hochement de tête.

Le vent s'était levé. Ils étaient partis. Luisa Froís leur avait adressé un signe énigmatique de la main, index et majeur contre son front plissé.

Ils avaient traversé Puerto Williams. Puis ç'avait été vingt-cinq kilomètres d'un chemin poussiéreux le long de la mer grise.

À présent ils marchaient en silence.

Grimpaient le sentier, entre arbres et arbustes, baignés d'un vent froid qui sifflait aux tempes et chassait les nuages.

Ils virent le rocher. Poursuivirent sur la droite.

Ils virent le petit lac. Bifurquèrent.

Tout comme Jorge avait dit.

Seul le bruit des brindilles sous leurs pas, et le vent autour d'eux.

Puis ils l'aperçurent, là-bas, avec la mer derrière.

Pourquoi si loin, se demandait Rosario. Pourquoi ici.

Ne parlaient toujours pas.

Paul se laissait porter par le rythme de la marche. Il sentait l'étau du silence et du vent se resserrer autour de lui. En finir ici, se disait-il, après tout pourquoi pas. On a tout loisir de se fondre dans l'indifférencié. Le ciel absorbe tout. Le vent nettoie.

Sur la gauche, les eaux grises du canal de Beagle roulaient leurs franges d'écume. Il y avait deux îles, dont une noire de cormorans. Plus loin, une baie où se devinaient quelques toits rouges : les estancias d'Harberton. Au-dessus, bien plus loin, un chapelet de sommets enneigés.

Ils avançaient. Sentaient que c'était la fin du voyage. Vincent était là, cela ne faisait aucun doute. Il était là, à l'intérieur de cette cabane qui à cent mètres d'eux se confondait presque avec les rocs et les arbustes autour. Il était là, cadavre desséché ou squelette – ou, pire, ni l'un ni l'autre, corps rongé par plaques, boulotté par les renards, assiégé par les vers.

Ils avaient la sensation que ce n'était pas eux qui s'approchaient de la cabane, mais la cabane qui se livrait à eux. Elle grandissait sous leurs yeux, au diapason de leurs pas. Elle arrivait, lentement.

Soudain elle fut là, devant eux. Plus petite que celle de l'Isla Larga. Trois mètres sur trois environ. Lourde, épaisse. Une cheminée. Une seule fenêtre, parcimonieuse.

Derrière, un promontoire rocheux d'où la vue donnait sur le canal tout en bas, et les montagnes au loin.

Ils demeuraient devant la porte, sans bouger.

C'est à toi, dit Paul.

Rosario le regarda. Hocha la tête.

Poussa la porte.

Il tremblait un peu.

La confession de Vincent

Je suis un aveugle face à la mer déchaînée. Le monde m'engloutit peu à peu. Le vent est un maître féroce et brutal. Je me penche au-dessus des flots, titube, manque d'y sombrer, et jette une bouteille au hasard. Je ne sais où elle accostera, ni même si elle ne s'est pas brisée sur les récifs qui hérissent la côte. Toutes les côtes sont des écueils. Toutes les bouteilles jetées à la mer sont des cadavres. Cette bouteille que je jette aujourd'hui est un petit cadavre blotti dans un fourré – comme je le suis moi-même. Elle est aussi un pari, le pari que ce sera mon neveu Rosario qui retrouvera mon corps. Et donc, mon cher Rosario, te voilà. Tu es là face à moi, ou plutôt ce qu'il reste de moi. Je ne sais dans quel état je serai lorsque tu arriveras. Mais si tu es venu jusqu'ici c'est sans doute que tu m'as un peu compris. Je suis content.

Moi qui voulais être écrivain, poète, nouvelliste, romancier, que sais-je, et qui n'ai jamais rien été de tout cela, moi qui n'ai rien écrit de ma vie ou presque, rien qui ne soit instantanément oubliable en tout cas, j'ai donc écrit un jour une histoire, mon histoire, dans ma cabane sur l'Isla Larga, l'ai terminée ici, dans la misérable bicoque où tu viens de me trouver, l'ai tapée à la machine à écrire que tu dois voir posée sur la table, et l'ai confiée à Jorge, le petit-neveu de Luisa Froís, que tu as certainement rencontrée puisque tu es là, et qu'elle est la seule je crois, avec Jorge, à savoir où je suis. Jorge s'est rendu à Puerto Williams, a remis l'enveloppe contenant mon tapuscrit à la navette qui rejoint Punta Arenas, d'où elle t'a été envoyée.

Mon cher Rosario, tu me regardes, et tu vois sans doute un vieux machin tout sec, plein de barbe et de cheveux autour d'une peau parcheminée, quelque chose qui ressemble à une momie. Tu ne sais que penser. Il est possible que ces lieux superbes et désolés dans lesquels j'ai vécus, et où tu viens de me trouver, t'intriguent quelque peu. Pourquoi ici et pas ailleurs, es-tu en droit de te demander. Pourquoi si loin. Pourquoi si rude. Tu as des éléments de réponse dans cette histoire que je t'ai racontée par écrit, mais cela ne te suffit pas.

Je reviens donc en arrière. Pour toi. Lorsque j'ai décidé de quitter la France, j'étais totalement perdu. Je ne savais plus qui j'étais. Je me croyais possédé. Tenu, ou retenu, par quelque chose de plus fort que moi, de plus grand que moi, sur la frontière de quoi je me trouvais, et dans quoi je craignais de m'engloutir. Quelque chose d'innommable et dangereux que je portais en moi et que je devais détruire. Je craignais vraiment de basculer, de devenir un jour un de ces illuminés qui arrêtent les passants dans la rue et les abreuvent de leur logorrhée délirante, leur expliquant que la nature du monde leur est apparue dans toute sa complexité, que les nuages se sont dissous et qu'ils ont compris, que la lumière les a aveuglés, qu'ils ont reçu la révélation, saisi les connexions secrètes entre l'homme et le cosmos, la structure des composantes de l'existence humaine, la vérité du monde et de l'univers. Je redoutais de devenir un fou – mais pas un de ces fous prostrés et soumis à de soudains délires, non : un fou dangereux et violent.

J'étais perdu, mais j'avais une certitude, une seule : je devais partir. Or je ne savais pas où aller. Tout en moi était tendu vers l'extérieur, mais le monde était trop vaste, trop complexe, et je restais immobile – un peu comme je demeurais parfois prostré chez moi dans mon salon, en proie aux symptômes que j'ai décrits dans mon texte. Il fallait que quelque chose se passe. Il fallait choisir une direction. Je me suis alors souvenu de mes séances chez le chaman Djordjé, et me suis résolu à suivre ce qu'il m'avait dit.

Oui, Rosario : j'ai engagé ma vie entière sur ce que j'avais cru comprendre des propos sibyllins d'un garagiste bouriate. Je te vois froncer les sourcils. Peut-être souris-tu. Je te comprends. C'est ridicule, presque risible, je sais. Mais nous engageons tous nos vies parfois sur des intuitions, des décisions discutables, des coups de tête ridicules. C'est Nietzsche, je crois, qui recommandait de se choisir un maître – et le « choix » est aussi important ici que le «maître». Un maître consenti : cela permet de tracer un chemin qui nous soit propre. Il était dit quelque part que le mien parcourrait la moitié de la planète sur une ligne invisible qui relie l'est de la Sibérie au sud de la Patagonie. Il y a des itinéraires moins singuliers. C'est ainsi.

Qui dira la joie qu'on éprouve à disparaître, à faire faux bond, à se soustraire, à tout laisser derrière soi, et se fondre dans le paysage ?

Djordjé, donc. Il avait parlé plusieurs fois d'« envers du monde ». Cela ne voulait rien dire, ou pas grand-chose de concret. J'avais choisi mon maître, j'ai donc cherché. J'ai d'abord imaginé que je devrais partir le plus loin possible de chez moi : aux antipodes, en somme.

Or les antipodes de la France sont en plein océan Pacifique. Il y a bien une terre émergée, l'île Chatham, au
large de la Nouvelle-Zélande, dont j'avais vérifié qu'elle
se trouvait plus ou moins aux antipodes du nord du
département de l'Hérault, mais qu'avais-je à voir avec
l'Hérault ? Et puis cela ne m'allait pas. Il me fallait un
lieu plus austère. J'imaginais, à tort peut-être, cette île
du Pacifique comme un coin paradisiaque, sable blanc,
cocotiers et tout le bataclan. Très peu pour moi. Moi je
voulais expier, souffrir peut-être, certainement pas passer ma vie en vacances les pieds dans l'eau claire. Alors
je me suis souvenu que Djordjé avait à quelques reprises
parlé de « moi en miroir », ou de lui en miroir de moi,
je ne savais plus très bien. J'ai donc pensé que je devais
chercher non l'envers de *mon* monde, mais l'envers du
sien. Si nous étions en miroir l'un de l'autre, peut-être
devais-je me fier à ce que je savais de lui pour me diriger
vers l'envers de son monde à lui, et ainsi me retrouver
moi-même, dans le miroir.

Lorna, ma très chère Lorna, m'avait dit qu'il était né
non loin d'un lac de Sibérie orientale nommé Kipylyushi, et qu'il avait grandi ensuite sur l'île d'Olkhon, sur
le Baïkal. J'ai consulté des cartes pour situer ces deux
lieux, puis cherché leurs exacts antipodes : ils se trouvaient, pour l'un et l'autre, en Patagonie chilienne. À ce
moment-là je me suis souvenu qu'un de mes oncles que
j'aimais beaucoup nous avait dit, alors qu'il était sur le
point de mourir, que nous n'avions pas à être tristes ni
à nous en faire, que nous n'avions qu'à imaginer qu'il
allait partir en voyage, très loin, en Patagonie, et qu'il
y resterait longtemps. Nous étions enfants alors. Mais
depuis, la Patagonie pour moi était restée synonyme de
fin, d'achèvement, de retour impossible. Alors oui, pourquoi pas la Patagonie. Les antipodes de l'île d'Olkhon

correspondaient, plus ou moins, à toute la partie occidentale de l'île Riesco. J'ai vu qu'il y avait là, nichée dans une anse et donc probablement à l'abri des vents, une petite île, l'Isla Larga, dont je me suis aperçu de plus que l'emplacement dans son anse correspondait, en modèle réduit et en miroir, à celui de l'île d'Olkhon par rapport au Baïkal : l'anse en effet était presque fermée et formait comme un lac orienté nord-ouest/sud-est (le Baïkal, lui, est orienté à l'inverse : nord-est/sud-ouest), dont une extrémité était un fjord qui s'enfonçait dans Riesco, et l'autre un verrou formé par une île, un cap et une myriade d'îlots entre les deux. D'un côté de l'Isla Larga, le rivage était à quelques dizaines de mètres. De l'autre, à quelques centaines – de la même manière qu'à Olkhon la Petite Mer d'un côté et la Grande de l'autre séparent l'île du rivage. Les antipodes, plus la configuration en miroir : j'ai pris cela comme un signe. Cette île serait mon choix.

Quant aux antipodes du lieu de naissance de Djordjé, les environs du lac Kipylyushi, il s'agissait de l'endroit où nous nous trouvons à présent toi et moi, Rosario : ce lieu rude et nu à l'est de Puerto Williams, au-dessus de Puerto Eugenia. Djordjé était né là-bas : je me disais que je n'aurais qu'à venir mourir ici lorsqu'il serait temps. En fait, c'était assez simple. De cette manière la boucle serait bouclée et nous serions parfaitement en miroir, ainsi qu'il l'avait annoncé – ou programmé, puisque c'est *bien entendu* mon itinéraire et lui seul qui a rendu possible cet effet de miroir. Je ne suis pas dupe, et je sais que de tout temps il en est toujours allé ainsi : rien n'est jamais écrit, nul ne prédit jamais rien, mais chacun obéit à ce qu'il croit avoir compris d'une prédiction, qu'il rend ainsi effective. S'il l'avait ignorée, la prédiction ne se serait pas réalisée, et se serait détruite d'elle-même. Chacun entend ce qu'il veut entendre, ou a besoin d'entendre. Pour ce qui me concerne, j'ai décidé d'écouter ce que j'avais voulu comprendre des propos de Djordjé – et donc de le faire advenir.

Quand j'ai senti mes forces m'abandonner, voici un peu plus de deux mois, j'ai réuni celles qui me restaient pour venir ici, à une trentaine de kilomètres de Puerto Williams, à l'envers de ce lac Kipylyushi que je ne connaîtrai jamais, pas très loin d'un autre lac, la Laguna Roja.

Djordjé avait raison : je ne m'explique rien de tout cela, mais en venant sur mon île voici plus de vingt ans, je me suis peu à peu débarrassé de mes peaux d'avant, comme un serpent de ses mues – même si à bien des égards il était trop tard. Depuis longtemps il était trop tard. Mais sans doute fallait-il choisir une direction et s'y tenir. Je l'ai dit, je ne suis pas dupe, et je me suis dit souvent que n'importe quel lieu lointain aurait aussi bien fait l'affaire. Mais il fallait une décision. Un départ soudain pour cet envers du monde a été la mienne. Si Djordjé avait été brésilien, j'aurais sans doute trouvé d'excellentes raisons pour me rendre au Brésil, et serais peut-être à l'heure qu'il est quelque part au fond de l'Amazonie, bouffé par les jaguars, ou les fourmis.

Rosario, je ne te raconterai pas ma vie de ces vingt dernières années. Mon carnet, que tu as dû récupérer dans la cabane de l'Isla Larga puisque tu es là, en dit l'essentiel sur peu de pages. La vie n'est pas beaucoup plus au fond : quelques nuages qui passent, un oiseau migrateur qu'on suit des yeux, une baleine à bosse qui plonge lentement, un combat de renards, des larmes, des légumes qu'on fait pousser tant bien que mal, le vent omniprésent et quelques rituels, comme la tonte des moutons, les repas, les visites à la ville pour vendre sa camelote. Et surtout des regrets à n'en plus finir, à remplir les ciels nocturnes, à faire déborder les lacs.

Rosario, j'ai beaucoup vieilli en vingt ans. En France, je serais peut-être un tout jeune vieillard. Ici j'ai souvent été malade, et assez vite usé. Mes dents sont tombées. Je suis hirsute comme un diable. Mais je suis heureux que tu m'aies trouvé recroquevillé sans doute dans mon abri, enfin en paix avec moi-même et le monde. En paix avec le souvenir de Laura et de Lorna, notamment.

Qui est Laura, te demandes-tu ? Tu la connais pourtant. Mais d'abord, Lorna : Lorna que j'ai aimée et pourtant quittée sans un mot. Je lui ai écrit souvent par la suite. L'avant-dernière fois il y a trois mois environ, avant de venir ici. Ensuite elle aussi a reçu le texte que je t'ai envoyé. Je t'ai menti, pardonne-moi, lorsque je t'ai dit, dans la lettre que tu as reçue à Marseille, que je n'avais jamais raconté mon histoire à personne d'autre que toi. Lorna sait tout, et a toujours gardé le silence sur tout. Va la voir à ton retour en France si tu peux, et dis-lui que tu m'as trouvé. Lorna Lewidovskaïa. Je suis sûr qu'elle est encore très belle.

Quant à Laura, comme tu l'as probablement compris, il s'agit de celle que dans mon texte j'ai baptisée Mina : Laura Wegman par son mari, Robert Wegman, le découpeur de serpents. Mais son nom de jeune fille était Laura Folcher. Oui, Folcher. Là tu ne saisis pas encore tout, mais tu te dis que tu vas bientôt comprendre pourquoi j'ai truffé mon texte des carnets de ce grognard prisonnier des Russes.

Ce nom de Folcher, qui me semblait familier lorsque je lisais ses carnets à mes élèves, je n'arrivais pas à l'associer à un souvenir précis. Laura m'avait pourtant dit un jour son nom de jeune fille, mais c'était dans une conversation en passant, et puis ce n'était pas important, je l'avais oublié. Un peu avant notre dernière nuit passée ensemble, celle que j'ai racontée dans le texte, elle a mentionné à nouveau son nom, Folcher, je ne sais plus à quel propos. Là j'ai compris. J'étais abasourdi. Je lui ai parlé des carnets de ce grognard qui portait le même nom qu'elle, elle m'a dit qu'en effet un de ses ancêtres était mort à Waterloo, c'était connu dans sa famille. Mais elle ne savait rien de lui. J'ai dit que je les lui passerais, et elle était très heureuse de pouvoir les lire.

Et puis il y a eu cette nuit. La dernière. Jamais ensuite nous ne nous reverrions. Jamais elle ne lirait les carnets de son ancêtre. C'est pourquoi j'ai introduit ces extraits dans mon texte. C'était comme si cela pouvait lui permettre de les lire enfin, ainsi qu'elle en avait manifesté le désir. C'était surtout pour lui dédier indirectement l'ensemble, pour que cette histoire lui soit dévolue, à elle tout entière, à la femme qu'elle était, et, par-delà les générations, à la lignée dont elle était issue. Cela te semble peut-être idiot, ou puéril. Pour moi, ça ne l'était pas. Je voulais que cela soit solennel. C'était comme un bouquet de fleurs amères que je déposais, pas uniquement devant elle, mais aussi sur la tombe de ses ancêtres. Pour me faire pardonner.

C'est pourquoi aussi, Rosario, à présent tu vas ouvrir ma main. Selon le moment où tu m'auras trouvé, elle risque d'être un peu rigide, mais n'hésite pas, force-la, casse-la s'il le faut, après tout je ne crains plus rien. À l'intérieur tu reconnaîtras la médaille. Ta médaille. T'en souviens-tu, au moins ? Je l'ai subtilisée un jour chez toi à Buenos Aires il y a une vingtaine d'années, juste avant de disparaître de vos vies. Je me souviens que lorsque je l'ai vue, sur le guéridon, j'ai aussitôt pensé à celle dont parle le soldat Folcher dans ses écrits. C'était la même. Je me suis dit bien entendu qu'il ne s'agissait sans doute pas précisément de celle-là mais d'une autre, identique. Cela dit, même si c'était la sienne, nous n'en saurions rien – et même si nous le savions, aucun de nous ne s'expliquerait jamais comment elle avait pu atterrir ainsi chez toi. Cela importe peu. Les passerelles invisibles entre les choses et les êtres abondent, celle-ci n'en serait qu'une parmi d'autres.

À propos de passerelles invisibles, permets-moi une digression. J'ai trouvé un jour chez un bouquiniste de Punta Arenas une série de livres du siècle dernier, je veux dire du XIXe – oui, je suis et reste un homme du XXe siècle – : les *Bulletins de la Grande Armée*, sorte d'hagiographie des campagnes napoléoniennes. J'en ai ouvert un tome au hasard, et constaté ébahi que mon nom, Lacépède, était inscrit à l'intérieur, à côté d'une date, 1849. Je ne pouvais détacher les yeux de cette écriture fine, en élégantes cursives tracées par je ne sais qui, de mon propre nom sur un livre datant de plus d'un siècle. Ensuite il m'a semblé me souvenir qu'un arrière-grand-oncle, ou un grand-cousin quelconque, avait participé un jour à une expédition en Terre de Feu. Pour une raison que j'ignore, il avait sans doute abandonné, perdu ou vendu quelques-uns de ses livres. J'ai choisi le tome correspondant à la retraite de Russie en novembre 1812, le moment où Folcher a été fait prisonnier des Russes, et l'ai emporté chez moi. Il fallait bien en choisir un – un seul : ces livres-là sont lourds. Et surtout, mon nom inscrit à l'intérieur me semblait pouvoir être une passerelle entre Laura et moi, puisque d'une certaine manière il associait son ancêtre Folcher à ce probable parent que j'ignore.

Plus tard je l'ai envoyé à ta mère – comme s'il s'agissait, cette fois, de remplacer auprès d'elle la médaille subtilisée vingt ans plus tôt. De rembourser mon dû, en quelque sorte. C'était le premier signe que je lui adressais depuis tout ce temps. Je n'avais pas particulièrement le désir d'entrer en contact avec elle, mais quelque chose au fond de moi, peut-être activé par le fait d'avoir lu notre nom à tous deux écrit sur ce livre, avait besoin de lui envoyer un signe, lui dire que j'étais encore vivant.

Rosario, tu le vois, les passerelles sont multiples, mais au bout du compte nous n'expliquons jamais grand-chose. La médaille, je l'avais dérobée parce qu'elle me reliait à Laura. J'étais chez toi à Buenos Aires, tu t'en souviens, et je tenais dans le creux de ma main un objet qui avait peut-être appartenu à son ancêtre, comme je tiens à présent ce même objet dans le creux de ma main gauche tandis que je t'écris cela, comme je la tenais encore dans le creux de cette même main juste avant que tu l'en extraies. Laura était tout entière dans le creux de ma main, et j'avais l'impression de l'avoir, elle, à mes côtés. Elle que je ne verrais jamais plus. Elle que je ne verrais jamais plus et pourtant je l'aimais. Elle que je n'ai jamais revue, à qui je n'ai plus jamais parlé, jamais écrit, toujours pensé. Je ne vais pas dire que ce n'était pas ma faute, que je n'étais plus moi-même, que j'étais prisonnier de je ne sais quoi. Je ne vais rien dire.

Rosario, plus d'une heure s'est écoulée entre ces derniers mots et la phrase que j'écris à présent. Je suis sorti, me suis recroquevillé dans l'herbe, ai laissé la bruine glaciale m'inonder. Je viens de rentrer. Je relis ce que j'ai écrit, et je me demande qui l'a écrit. Je dis « je », et je ne sais plus très bien de qui il s'agit. Je me suis délesté de tant de choses, j'ai réduit mon monde aux dimensions d'une cabane sur une île minuscule, au fil des ans je me suis recroquevillé autour de ce noyau de nuit que je portais au-dedans de moi, je m'en suis nourri autant qu'il m'a nourri, et dans le même temps je me suis dissous dans la vastitude du monde qui m'entourait, je suis devenu un récif assailli par les vagues, un nuage rouge entre deux montagnes, un renard, un hêtre tordu, un lombric. Cette cabane sur l'île, c'était une partie de moi. Celle-ci un peu moins. La momie que je suis devenu encore moins. Et c'est ainsi que je ne sais plus très bien qui parle ici.

Rosario, il y a des mots que j'ai du mal à écrire. Je ne les ai jamais prononcés, ces mots, sauf peut-être muettement un jour à un renard qui passait devant ma cabane, comme pour m'en débarrasser dans le corps d'un autre. Je ne peux pas les écrire, mais je les rumine au-dedans de mon crâne depuis des années. Et tandis que je les répète, à l'intérieur je pleure comme un veau.

C'est donc maintenant de Mina que je dois te parler.

Pas de Laura, non : de Mina. Car il y a bien eu une Mina. Pendant des années j'ai voulu ne plus m'en souvenir, mais un jour elle s'est rappelée à moi. Et c'est elle qui m'a envoyé ici.

Nous étions enfants. J'avais dix ans, et elle huit.

Je n'ai pas fait de psychanalyse, j'aurais peut-être dû. Aucune psychothérapie non plus : je suis juste allé voir un garagiste bouriate. Mais je n'ai pas eu besoin de consulter qui que ce soit pour me rendre compte, avec certes un peu de retard, que les troubles que j'ai décrits dans le texte que je t'ai envoyé ont commencé au moment précis où mes enfants Victor et Irène ont atteint l'âge que nous avions, Mina et moi, lorsque s'est produit ce que je vais te raconter.

Mina Volpini, une voisine dont ta mère se souviendra peut-être, bien qu'elle n'eût que cinq ans à l'époque. Elle était rousse, très jolie avec ses cheveux longs, ses taches de son et ses yeux verts. Je l'appelais « Mina la renarde » en raison de la couleur de ses cheveux, et aussi de son nom, dont elle-même m'avait dit qu'il provenait du renard italien, « *vulpe* ». Nous nous aimions bien tous les deux, nos parents disaient qu'ils nous marieraient un jour et nous haussions les épaules d'un air gêné. Nous jouions toujours ensemble, et lorsque nous n'étions pas dehors nous nous racontions des tas d'histoires, des aventures de princes et de brigands, de mystères, de mondes lointains et de fées. Il y avait une rivière non loin de l'endroit où nous habitions, et nous nous y baignions l'été. Un endroit était réputé dangereux, où nous n'avions pas la permission d'aller, c'était un peu plus loin que la petite plage où nous nous retrouvions d'habitude, au niveau d'une autre petite plage où une barque vermoulue s'enfonçait d'année en année plus profondément dans la vase. On disait qu'il y avait parfois des tourbillons qui pouvaient nous entraîner vers le fond, et emprisonner nos jambes dans ces longues algues qu'on pouvait voir, en barque, s'agiter au-dessous de la surface de l'eau. Nous, nous avions inventé un monstre sous-marin mélancolique et triste, condamné à demeurer enfermé là, sous le lac, jusqu'à ce qu'une sirène l'épouse. Un jour Mina et moi nous sommes aventurés plus loin que d'habitude, du côté de cet endroit dangereux. Nos parents ne faisaient pas attention à nous. Nous voulions atteindre l'autre petite plage, celle où se trouvait la barque vermoulue, et rentrer à pied. Ce n'était pas même une volonté de côtoyer le danger ou de désobéir à nos parents, non, simplement nous aimions nager ensemble, cette barque nous attirait – là aussi nous nous racontions des histoires à son sujet, des histoires de pirates et de braconniers des temps anciens –, et surtout nous ne faisions pas vraiment attention, nous étions inconscients des dangers invisibles, comme le sont les enfants souvent livrés à eux-mêmes – comme le sont tous les enfants. Nous avons donc nagé, avons atteint la petite plage, sommes montés dans la barque qui s'est affaissée sous notre poids, et avons commencé à jouer aux pirates. Mina se tenait droite à l'avant, soudain métamorphosée en figure de proue. J'ai ri, me suis précipité vers elle, la barque s'est inclinée, Mina a trébuché et est tombée par-dessus bord la tête la première. Puis elle s'est relevée en riant, maculée de vase des pieds à la tête, ses cheveux roux soudain d'un gris-vert sale. Seules étaient épargnées ses dents blanches, éclatantes tandis qu'elle ne pouvait s'arrêter de rire. Je riais aussi devant ce spectacle de Mina la renarde recouverte de vase. Je me souviens qu'elle était nimbée de soleil, et que quelques moucherons voletaient autour d'elle. Puis elle s'est calmée, s'est relevée, et a couru plonger dans l'eau pour se laver. Elle a nagé un peu. Je l'ai suivie des yeux pendant quelques secondes puis j'ai détourné le regard, et suis descendu de la barque. Lorsque j'ai à nouveau levé la tête vers la rivière, je n'ai plus vu Mina. Elle avait disparu. Puis je l'ai vue réapparaître. Elle agitait bizarrement les bras. J'ai alors pensé au monstre mélancolique, aux tourbillons et aux algues qui emprisonnaient les jambes. Je me suis jeté à l'eau, et j'ai nagé vers elle. Le courant était fort. Je voyais Mina qui me faisait signe et tentait de crier sans y parvenir, affolée, la bouche remplie d'eau verte. Je me suis approché de l'endroit où elle apparaissait et disparaissait, de plus en plus fréquemment attirée vers le bas, comme un ludion dans une baignoire. J'ai commencé à sentir sous mes pieds des amas d'algues qui me frôlaient. J'ai eu très peur. Je luttais contre un courant toujours plus fort. Je voyais la surface de l'eau qui gonflait sous l'effet du tourbillon qui emprisonnait Mina, l'attirant au fond sans qu'elle pût résister. Je l'ai vue plonger à nouveau, puis émerger, le souffle court, le regard désespéré, presque déjà vaincu. Je ne savais que faire, je paniquais un peu. J'avais très peur. J'ai tendu le bras sans oser m'approcher davantage, elle a émergé encore, ses yeux étaient presque fermés, ses doigts ont alors touché les miens. J'aurais pu lui prendre la main mais j'avais trop peur, je craignais de me retrouver moi aussi entraîné vers le fond, emprisonné dans les algues. J'ai hésité, je fatiguais, ses doigts frôlaient les miens, il m'aurait peut-être suffi d'avancer de quelques centimètres encore et de saisir sa main – et je n'ai rien fait. Je n'ai pas serré sa main dans la mienne. Je n'ai pas serré, et elle a été engloutie. N'est plus remontée. Pendant quelques secondes, qui ont duré des heures, je suis resté là à flotter sans savoir que faire ni penser, d'ailleurs je ne pensais plus rien, ne voyais plus rien, n'étais plus rien moi-même. Puis j'ai senti la fatigue, j'ai repris mes esprits, me suis retourné, j'ai nagé comme un fou vers la petite plage, et suis rentré en courant et pleurant. Je n'ai pas raconté à mes parents la scène telle qu'elle s'était réellement passée. J'ai juste dit que Mina et moi étions allés là où nous n'aurions pas dû, que Mina nageait devant moi et qu'elle avait été emportée par le courant vers le fond, que soudain je ne l'avais plus vue, que je n'avais rien pu faire. Je pleurais comme un veau. Ce que je ne disais pas, c'était la conviction qui était la mienne que j'avais tué Mina, que je l'avais tuée en ne sachant pas fermer mes doigts sur elle, parce que j'avais eu peur. Que c'était moi qui l'avais tuée en ne la sauvant pas alors que j'aurais pu. Puis je me suis évanoui. Comme si moi aussi je lâchais prise, comme si moi aussi je devais plonger dans des profondeurs noires et silencieuses. J'ai plongé et me suis trouvé pendant quelques minutes englouti au-dedans de moi-même, empêtré dans les algues de ma culpabilité, prisonnier de la vase de mon remords qui jamais ne s'éteindrait – et je m'y suis enfoui pour ne plus rien voir. Je suis devenu le monstre mélancolique et triste que nous imaginions.

On a repêché Mina. L'enterrement a dû être éprouvant. Je n'en ai aucun souvenir.

Et puis le temps a passé. Pendant des années j'ai mis cela de côté. On ne m'en a plus jamais parlé. Je l'ai oublié, refusé, englouti sous une épaisseur de vase que je ne voyais même plus. On appelle cela amnésie traumatique, je crois.

Trente-cinq ans plus tard, lorsque mes enfants ont atteint l'âge que nous avions Mina et moi, des troubles physiques sont apparus. Des troubles psychiques aussi. Des rêves de renards et de mort, des rêves de protection, des rêves de terreur, des rêves de poursuites, et d'algues qui me retenaient prisonnier. Mais je ne savais comprendre, ni démêler tout cela. J'avais trop bien enfoui ma culpabilité. Je l'avais perdue. Lorsque Laura et moi avons passé ces quelques jours à la montagne et que nous avons vu le rituel d'accouplement des renards sous la lune, quelque chose m'a brutalement saisi de l'intérieur que je n'ai pu maîtriser : je l'ai serrée contre moi et j'ai refermé mes doigts sur elle. Pas autour de ses doigts, comme j'aurais dû le faire pour Mina trente-cinq ans plus tôt, mais autour de son cou. J'ai serré. Fort, très fort. J'ai failli la tuer.

J'ai *failli*, Rosario : je ne l'ai pas fait – je sais ce que tu as pensé. Soudain j'ai eu un éclair de lucidité, et j'ai relâché la pression. Laura a suffoqué, a eu très peur, est tombée à terre, s'est relevée, s'est précipitamment éloignée de moi, s'est retournée, m'a regardé d'un air affolé, et a couru dans les bois. Je l'ai retrouvée à l'hôtel :

elle faisait sa valise, sans un mot. Je ne savais que dire, me suis confondu en excuses, me suis mis à pleurer, me suis agenouillé devant elle, ai bafouillé tous les regrets possibles, l'ai assurée que je l'aimais, que je ne savais pas ce qui m'avait pris, que ce n'était pas moi, j'ai dit tout ce qui me passait par la tête – elle n'a rien répondu. Elle a franchi le seuil et je ne l'ai plus revue. Je ne sais pas ce qu'elle est devenue.

Lorsque je me suis retrouvé seul dans ma chambre d'hôtel ce soir-là, j'ai compris que je devais partir. Je craignais, je l'ai dit, de devenir fou, et dangereux. Je l'avais presque tuée. Je l'aimais et je l'avais presque tuée : il m'aurait suffi de serrer un peu plus fort, un peu plus longtemps. À aucun moment je n'ai fait le lien avec Mina la petite renarde noyée : cette histoire était encore trop profondément enfouie en moi. J'étais aveugle. J'étais possédé par l'esprit d'un renard, m'avait dit Djordjé, c'est lui qui apparaissait dans mes rêves, qui m'agrippait le corps et l'esprit – qui voulait me saisir comme je n'avais pas saisi la renarde Mina en train de se noyer. Le renard pourtant était amical, le serpent était maléfique, insistait Djordjé. Il fallait que je me débarrasse du mauvais pour me libérer du bon. Mais comme il l'avait dit aussi, je ne comprenais rien, je ne voyais rien, j'étais plus bête qu'un veau.

Quand je suis rentré chez moi, la maison de Laura était fermée. Quelques jours plus tard, dix peut-être, je ne sais plus, je suis parti à Buenos Aires, chez vous. J'ai subtilisé la médaille, qui me reliait à elle. Mais je t'ai expliqué tout cela.

Ce n'est que bien plus tard que j'ai enfin compris ce qui me possédait. Que je me suis, en somme, reconstitué. Un jour sur l'Isla Larga, alors que rôdait autour de la cabane un des renards qui s'étaient peu à peu laissé apprivoiser et me mangeaient dans la main, j'ai vu comme une photo qui se livrait à moi, en trois plans échelonnés : d'abord l'animal qui me fixait d'un air inquiet, derrière lui ma barque à moitié enfoncée dans le gravier du rivage, et enfin l'eau verte agitée de sombres remous un peu plus loin. Le renard était figé. Le silence, pesant. Quelque chose était en train de se jouer là devant moi, que je ne parvenais pas à saisir. La lumière soudain a semblé plus violente. J'ai alors entendu tinter les clochettes de l'air, comme s'il était saturé d'oxygène, et le visage de Mina m'a littéralement sauté au visage, en même temps qu'un bref éclair blanc qui m'a presque fait perdre l'équilibre. Alors les souvenirs ont afflué. Le serpent avait disparu. Quelque temps après je me suis mis à écrire le texte que je t'ai envoyé.

L'ironie de l'histoire, ai-je pensé ensuite, a été que je vienne terminer mes jours dans une région où il n'y a pas le moindre serpent – mais cela, je l'ignorais lorsque je suis parti.

Rosario, tu sais tout. J'ai failli tuer Laura en serrant mes doigts autour de son cou. J'ai tué Mina en ne serrant pas mes doigts sur sa main. J'ai perdu l'une et l'autre. Rien n'est rattrapable jamais. Le remords qui m'a assailli ensuite est noir comme un puits vertigineux, un puits au fond duquel se trouve le cadavre d'une petite fille à qui je n'ai pas tendu la main. Il a fallu que je vienne jusqu'ici pour démêler tout cela. J'ai guéri. Mais ce que j'ai gagné en lucidité, je l'ai perdu en remords infinis.

À présent, tu peux te taire, ou tout raconter à ta mère, à ton frère, à mes enfants. Je ne suis plus là pour m'en préoccuper. Je te confie la médaille. Garde-la si tu veux. Elle est la part de Laura qui a vécu à mes côtés pendant toutes ces années. Je te confie Laura. Tu peux aussi l'enterrer avec mon cadavre, si tu m'enterres. Il y a un petit promontoire à l'est de ma bicoque qui fait face au canal de Beagle, à la baie d'Harberton et aux montagnes au-dessus. La vue est somptueuse, si tu veux mets-moi là. Ou alors brûle mon corps discrètement, si cela se peut, et éparpille les cendres autour de ma cabane. Je te laisse choisir, j'en suis désolé Rosario. Enterre-moi ou brûle-moi, avec ou sans Laura, tais-toi ou révèle tout : je ne suis pas fier de te laisser seul avec tous ces dilemmes. C'est un lourd héritage que je te lègue. Pardonne-moi. Je t'aimais toi aussi. Les quelques pages que tu viens de lire en sont la preuve.

Rosario, il fait très beau ce soir. Très beau et très froid. Le vent pour une fois est tombé. Rien ne bouge nulle part. Le soleil vient de se coucher. Dans le ciel s'étirent de minces nuages jaunes et pourpres. Je vais sortir, m'asseoir devant ma cabane, et perdre mon regard dans les eaux mauves, presque inquiétantes à force d'être calmes aujourd'hui, du canal de Beagle. Au-dessus, les montagnes d'Harberton sont encore illuminées. La lune est pleine. Je sais bien qu'ailleurs, des bêtes invisibles s'entretuent dans la nuit des forêts. Je sais bien que partout de fragiles créatures meurent dans l'indifférence de tous. Mais je me dis que je verrai peut-être ce soir les eaux soudain agitées de mouvements secrets, puis une forme oblongue crèvera la surface luisante avant de disparaître en silence, et ce sera le dos d'une baleine, suivie de son baleineau. J'en aurai les larmes aux yeux. Ensuite il sera temps.

Les « Carnets de Louis Folcher » sont des extraits à peine remaniés de feuillets trouvés dans la doublure de la veste d'un soldat mort sur le champ de bataille de Waterloo, dans lesquels il retraçait les principales étapes de sa captivité en Russie entre 1812 et 1814. Ces feuillets sont ensuite passés de famille en famille sans qu'il soit possible d'en retrouver les possesseurs actuels. La copie de l'intégralité des feuillets en question m'avait été remise par un ami voici une dizaine d'années.

La partie intitulée « Journal d'Augustin Hyades » doit beaucoup au livre autobiographique d'E. Lucas Bridges, *Aux confins de la Terre – Une vie en Terre de Feu*, publié aux éditions Nevicata. E. Lucas Bridges était l'un des fils du révérend Thomas Bridges, que l'on rencontre dans le roman. Il est né en 1874 à Ushuaia et a vécu plus de quarante ans en Terre de Feu.

Table

Table

DU MÊME AUTEUR

ROMANS

Le Vol du pigeon voyageur, *Gallimard, 2000, prix du Rotary International, Gallimard ; coll. « Folio », 2002.*

Sortilège, *Champ Vallon, 2002 ; réédition, 2014.*

Du bruit dans les arbres, *Gallimard, 2002 ; coll. « Folio », 2005.*

L'Embarquement, *Gallimard, 2003 ; coll. « Folio », 2006.*

La Jubilation des hasards, *Gallimard, 2005.*

La Piste mongole, *Verdier, 2009 ; Seuil, coll. « Points », 2014.*

Des femmes disparaissent, *Verdier, 2011, prix Roland de Jouvenel de l'Académie Française ; Seuil, coll. « Points », 2014.*

Les Nuits de Vladivostok, *Stock, 2013.*

NOUVELLES & TEXTES BREFS

Vidas, *Gallimard, 1993 ; coll. « Folio », 2007.*

L'Encre et la Couleur, *Gallimard, 1997.*

Vies volées, *Climats, 1999 ; coll. « Folio » 2007 ; Flammarion, coll. « GF Étonnants classiques », 2009.*

Une odeur de jasmin et de sexe mêlés, *Les Flohic, 2000.*

Rien, *Champ Vallon, 2000.*

Une théorie d'écrivains, *Théodore Balmoral, 2001.*

Fées, diables et salamandres, *Champ Vallon, 2003.*

La neige gelée ne permettait que de tout petits pas, *Verdier, 2005.*

Le Scorpion de Benvenuto, *L'Escampette, 2007.*

À Budapest, *Circa 1924, 2007.*

Circé ou Une agonie d'insecte, *Cadex, 2010.*

L'Autre Monde, *Verdier, 2007.*
Borges, de loin, *Gallimard, 2012.*

CARNETS DE VOYAGE

Itinéraire chinois (une énigme), *L'Escampette, 2002 ; L'Escampette poche, 2014.*
Du Baïkal au Gobi, *L'Escampette, 2008 ; L'Escampette poche, 2014.*
Carnet japonais, *L'Escampette, 2010 ; L'Escampette poche, 2014.*
En descendant les fleuves (Carnets de l'Extrême-Orient russe), *en collaboration avec Éric Faye, Stock, 2011 ; J'ai lu, 2013.*
Ienisseï, *suivi de* Russie blanche, *Verdier, 2014.*

LITTÉRATURE JEUNESSE

Aux bords du lac Baïkal, *L'École des loisirs, 2011.*
Les Papillons de la Lena, *L'École des loisirs, 2012.*

PHOTOS

Le Minimum visible, *photographies (avec des textes de Stéphane Audeguy, Arno Bertina, Éric Faye, Thierry Girard, Gilles Ortlieb), Le Bec en l'air, 2011.*

AUTRES

Les Cigarettes, *poèmes, L'Escampette, 2000.*
Lexique, *L'Escampette, 2002.*
Pierrier, *poèmes, L'Escampette, 2003.*
Pris aux mots (Lexique 2), *L'Escampette, 2006.*
J'ai grandi, *essai autobiographique, Gallimard, 2006, prix Symboles de France.*
L'Art de la natation subaquatique, *Marguerite Waknine, 2008.*

Quand j'étais écrivain, *en collaboration avec Pierre Autin-Grenier, Finitude, 2011.*
Jibé, *Arléa, 2014.*

TRADUCTION

Jorge Luis Borges & Luisa Mercedes Levinson, La Sœur d'Eloísa, *Verdier, 2003.*

Cet ouvrage a été composé
par Nord Compo à Villeneuve-d'Ascq
et achevé d'imprimer en France
par CPI Bussière
à Saint-Amand-Montrond (Cher)
pour le compte des Éditions Stock
31, rue de Fleurus, 75006 Paris
en septembre 2014

Imprimé en France

Dépôt légal : septembre 2014
N° d'édition : 02 – N° d'impression : 2012116
51-51-1693/4